ひらめき！英語迷言教室

——ジョークのオチを考えよう

右田邦雄

JN053278

岩波ジュニア新書 952

はじめに

　私が中学生のときに、L. A. Hill の *Stories for Reproduction* という本を手にしました。短いジョークが何編も収められていて、初めて読む「英語の原書」でした。ジョークのオチが分かったときはニヤリと一人悦に入り、逆に分からないときにはムキになって何度も英文を読み返したものです。

　この体験が基になって、教師になってからはジョークを用いた読み物教材を作成するようになりました。ジョークは短いながらも起承転結があり、オチが分かったかどうかで内容の理解度を判断できるからです。そこで、ただジョークを読むだけでなく、自分でオチを考える問題形式にしてみたのです。幸い、登録すれば毎日いくつものジョークを配信してくれるようなインターネットのサイトのお陰で、私のコレクションも 1000 を超え、少しずつジョークの目利きができるようになりました。その中から厳選した 9 題を、本書では皆さんに紹介しています。

　またジョークに限らず、いろいろな英語に接しているとユーモラスな表現に心和んだり、お洒落な表現に言い得て妙だと感心することがあります。そんな英文は授業で提示する例文にぴったりですし、また、少し手を加えれば格好の教材になることが分かりました。この本の第 1・2 章にはそんな「名言・迷言」を使った問題を用意しました。ア

タマを柔らかくして挑戦してみてください。

　もう一つ私のコレクションには「街角のユーモア」があります。旅先で街に溢れる生きのいい英語表現を写真に撮って整理するというものです。そのときは意味が分からなくても、あとで調べてみると元ネタがあり、そのパロディだったりするので、読む人のココロをくすぐる遊び心に溢れた英語が見つかると、ぜひとも教室で紹介したくなります。そのいくつかを「コラム」で紹介しています。肩の凝らない気軽な読みものとして楽しんでください。

　この本は英語に興味のあるすべての皆さんに、ユーモアを通して英語を楽しんでもらおうという趣旨で書きました。これを読めば英語力がメキメキつく、という類のものではありません、念のため。ただ、皆さんの普段の学習にも生かせるようにと、ワンポイント解説をつけました。できるだけ文法用語を使わずに要点が伝わるように工夫しました。この本の読みどころの一つです。

　この本をまとめるにあたり、これまで授業でさまざまなフィードバックをくれた生徒のみんなに感謝します。

右田邦雄

目　次

はじめに

第 1 章
ココロをくすぐるユーモラスな名言・迷言 ………… 1

1 The optimist sees the whole ; ……… 3

2 Quitting (s　　　) is easy. ……… 5

3 To find a friend one must ……… 7

4 How long a minute is ……… 9

5 It's meaningless to ……… 11

6 Finding a worm in your apple ……… 13

7 Women like a man with a past, ……… 15

8 Christmas is a time when ……… 17

9 There are three stages of man ; ……… 19

10 There are (　　) kinds of people ……… 21

11 An archaeologist is the best husband ……… 23

12 Baseball is like driving, ……… 25

13 Never doubt the courage of the French. ……… 27

14 Never ask (　　) if you ……… 29

15 Doing business without advertising ……… 31

16 High heels were invented ……… 33

17 You know you are getting old ……… 37

18 I changed my password ……… 39

19 Yesterday my husband thought ……… 41

20 Dear math teachers : ……… 43

21 I don't smoke or drink. ……… 47

22 If you think you're too small ········· 49

23 Forget the (　　　), I feel the entire zoo ········· 51

第2章
ココロを動かすポジティブな名言・迷言 ················ 55

24 The best way to make your dream ········· 57

25 Nothing is impossible. ········· 59

26 An American believes ········· 61

27 A parrot (　　　s) much ········· 63

28 If opportunity doesn't knock, ········· 65

29 When one door of happiness closes, ········· 67

30 The dictionary is the only place ········· 69

31 When a man points a finger ········· 71

32 Don't worry, if Plan A ········· 73

33 Nothing in the world is ········· 75

34 If I am to speak ten minutes, ········· 79

35 Age is just a number. ········· 81

36 Man cannot discover new oceans ········· 83

37 A (　　　) between makes love ········· 87

38 Love does not consist in ········· 89

39 It's no coincidence ········· 93

40 I don't know who ········· 97

41 We do not stop playing ········· 99

42 Remember, (a) is the (b) ········· 103

43 By the time a man realizes ········· 105

44 A mother is not a person ········· 107

45 Life isn't measured by ········· 109

46 Be careful when you follow ········· 111

47 Make yourself heard. ········ 115

48 To the world you may be ········ 117

49 With (a) eyes and ········ 119

50 Yesterday is history, ········ 121

51 War doesn't determine ········ 123

52 Everything will be all right ········ 125

第3章
ココロに浮かぶあの名言のパロディ迷言 ·············· 129

53 (   ) a day keeps the doctor ········ 131

54 Haste makes (   ). ········ 133

55 Where there's a will, ········ 135

56 Never put off till ········ 137

57 He who laughs last ········ 139

番外編 Many people believe ········ 141

第4章
ジョークのオチを考えるのはあなただ！ ·············· 143

#1 園児から先生へのプレゼント ········ 144

#2 仲睦まじい老夫婦 ········ 150

#3 タクシー運転手の前職 ········ 156

#4 命拾いのためのとっさの一言 ········ 162

#5 老夫婦の願い事 ········ 168

#6 ジグソーパズル完成のお祝い ········ 174

#7 シスターを訪ねた謎の男 ········ 180

#8 画期的なスーパー ········ 186

#9 寝起きの悪い男の話 ········ 192

第1章
ココロをくすぐる
ユーモラスな名言・迷言

　世の中には有名なことわざや格言がたくさんある一方で、それほど立派なことを言っているわけではないのに、なぜか親近感がわいてしまう言葉があります。そんなウイットやユーモアに富む名言・迷言を紹介します。ただ読むだけではもったいないので、みなさんの頭の体操になるようにクイズ形式にしました。あの手この手を使ってみなさんの常識を覆していきますから、覚悟してください。用意はいいですか。

　では、始めましょう！

Q1

The optimist sees the whole; the pessimist sees the hole.

さて、これって何の話？

ヒント the hole（穴）が空いている食べ物といえば…？

📖 words & phrases

optimist　楽観主義者
　　ラテン語の optimus「最も良い」から。最高を望む、の意味
pessimist　悲観主義者
　　同じくラテン語の pessimus「最悪」から

A1

a doughnut

訳：楽観主義者は全体(the whole)を眺め、悲観主義者は空いている穴(the hole)を見る。

★**謎解き** the whole と the hole という、発音の同じ名詞を並べていることに気づきましたか。何のことはない、a doughnut (ドーナッツ)の話です。同じ1つのドーナッツを見ても、全体を見ておいしそうだと思う人と、ここに穴がなければもっと食べられるのに、と残念がる人がいる、というのです。つまり、同じものを見ても、どこを見るか、どのように見るかで人の考え方が変わってくるということです。元ネタはアイルランド出身の詩人、オスカー・ワイルドの "The optimist sees the doughnut, the pessimist sees the hole." のようですが、その一部を誰かがいじって、whole—hole という組み合わせをつくったようです。

★**ワンポイント** 文と文の間の「；」(セミコロン)は「．」(ピリオド)と「，」(カンマ)が合わさってできたもので、and や but といった文と文をつなぐ接続詞と同じ働きをします。ここではセミコロンを挟んで前半と後半が対照的な内容なので、but と同じような役割を果たしています。

Quitting (s   ) is easy. I've done it a thousand times.

—— Mark Twain

(　　　)に入る語は何でしょう？

ヒント やめたいことの代表といえば…？

words & phrases

quit （＝stop）（何かしていることを決意して）やめる
後ろに仕事や習い事といった名詞がくるときは stop を用いない
（○）I quit the gym.（ジムに通うのをやめた）
（×）I stopped the gym.

＊ Mark Twain（マーク・トウェイン）は *The Adventures of Tom Sawyer*『トム・ソーヤーの冒険』で知られるアメリカの作家。機知に富み、心温まる名言を多く残した。

smoking

> 訳：タバコをやめるのは簡単さ。私はもう 1000 回も
> やってみた。

★**謎解き**　これまでに 1000 回もしたことがある、と言えば聞こえがいいですが、それが禁煙の話となると…。何のことはない、つまりは 1000 回失敗したということです。禁煙が簡単だと言っておきながら、実はどれだけムズカシイかということです。前文で述べたことと後半の内容が真逆になるところがユーモラスです。smoking の部分を他のやめたいことに置き換えれば、自分のオリジナルの文がつくれそうですね。

★**ワンポイント**　この文の主語は quitting smoking です。動詞の 〜ing 形は「いつもしていること」や「今していること」を伝えるので、話し手がこれまで繰り返し禁煙に挑戦していることを示唆しています。

　この文を To quit smoking is ... とすることも文法的には可能ですが、to は→（矢印）の働きをしますから、to の後ろにはこれから向かおうとする「ゴールや到着点」が置かれます。ですから、〈to ＋動詞（この形を不定詞という）〉は「これからしようとすること」を伝える表現になるのです。そのためこの迷言を To quit smoking is ... と表現すると、面白さが半減してしまうのです。

Q3

To find a friend one must close one eye ... to keep him, (　　　).

ヒント せっかく見つけた友人と仲良しでいるために必要なこととは？

words & phrases

one 特定の人物ではなく、一般的に「人は」と言うときに使う

keep ここでは keep him（＝a friend）で、「友達でいつづける」の意味

A3

both

> **訳：友達を見つけるには、片目をつぶらなければいけ
> ない。友達でいつづけるには両目だ。**

★**謎解き**　close one eye は文字通りには「片目をつぶ
る」という意味ですが、比喩的には「相手の欠点を大目に
見る」という意味です。友達を見つけるには、相手の嫌な
ところも多少は我慢しなければならない、ということです。
しかし、ずっと仲良くしつづけるためにはもっと努力が必
要で、片目どころか両目をつぶらなければいけない、と言
っているのが面白いところです。

★**ワンポイント**　この文では、文の先頭の To find a friend
のかたまりが主語ではありません。文の主語は one です。
このように文頭にあるものが必ずしも主語とは限らないの
で注意が必要です。One must close one eye to find a
friend. という語順にすれば意味は分かりやすくなります
ね。しかし、大事な情報を強調したいとき、あえて語順を
入れ替えて後ろに置くことがあります。

　後半は、both 1 語で one must close both eyes の代
わりをしています。このように同じ内容を繰り返さずに省
略して、より簡潔に表現することがあるので、読むときに
は省略されている部分を「復元」しながら考える必要があ
ります。

Q4

How long a minute is depends on which side of the (b   ) door you are on.

1分の長さってどれくらい？
(   )に入る語は何でしょう？

ヒント どこの家にも必ずあるドアです。さて、どこでしょう？

words & phrases

minute ①（時間の）分
②微少な　細かい

もともとはラテン語の *minutus* から。「1 時間」よりもさらに細かい時間の単位、という意味。次に（2 番目に）細かくしたのが second minute。つまり second（秒）のこと

depend on ～ ～次第である　～によって左右される

Our economy depends on the car industry.
（この国の経済は自動車産業の状況に左右される）

A4

bathroom

> 訳：1分がどれくらいの長さであるかは、トイレのドアのどちら側にいるかで決まる。

★**謎解き**　時間の長さは相対的なものである、ということを私たちは経験から知っています。楽しいことに夢中なときは、あっという間に時間は過ぎていきますが、退屈な授業を聞いているときの時計の進みの遅いことといったら。1分といえば、ふつうはあっという間の時間ですが、もしトイレに行きたいときにドアが閉まっていて（つまり使用中で）、外で待たなければいけないとしたらどうでしょう。1分がとてつもなく長く感じられることでしょう。まさにドアの内側と外側では天と地ほどの違いがありますね。

★**ワンポイント**　この文の動詞は depend(s) です。この語はもともと *de*（下に）＋*pend*（ぶら下がる）という2つの部分からできています。例えば「ペンダント（pendant）」は首から「ぶら下がっている」ものですね。ぶら下がっているというのは不安定な状態ですから、さまざまな条件によって左右されます。そこで A depend on B といえば、A は B に左右される、A は B 次第である、という意味が生まれるのです。また、何かにぶら下がるには支えてくれるものが必要ですから、「A は B に頼る、依存する」という意味が生まれるのです。

It's meaningless to own too much. A man with one watch knows what time it is ; a man with (　　　　　) is never quite sure.

(　　　)に入る１語は？

ヒント 最初の文がヒント。あればいいっていうものではありません。

✎ words & phrases

meaningless 無意味　意味がない（対義語は meaningful）
with 「〜と一緒にある」が元の意味。ここでは A with B で「A が B を持っている」の意味（with＝having と考えると分かりやすい）
own 所有する　ものを持つこと（所有者は owner）
quite とても（very の意味に近い）　完全に
sure 確かな　疑いのない

A5

two

> 訳：モノを持ちすぎても意味がない。時計は１つあれば時間が分かるが、２つあると何時だか分からなくなってしまう。

★謎解き　言われてみればその通り、皮肉な話です。いくら高価な腕時計でも、両腕に２つはめていて、もしそれぞれの時計の指す時間が少しでも違っていたらどうなるでしょう。どちらを信用していいのか分からなくなってしまいます。腕時計は１つあれば十分であるように、必要以上にモノを持とうとする私たちの姿勢を戒める名言です。

★ワンポイント　with は「一緒にある」ことを表すので、A with B で、「A が B を持っている」という意味になります。問題の正解は a　man　with　two でしたが、これは a man with two watches の省略です。

　ところで日本語では、時計ははめて、帽子はかぶる、シャツは着て、ネクタイは締める、というように、身につけるものによって使われる動詞が変わってきます。一方、英語では身につけるものをすべて wear という動詞で表現できます。さらに、with を使うと wear と同じような内容を表現することができます。

　a man **with** a red tie（赤いネクタイをした男性）

　a woman **with** glasses（眼鏡をかけた女性）

Q6

Finding a worm in your apple is better than finding a (　　　　) of it ... it's a real tragedy.

体験に基づく格言です。
(　　　　)に入る語は次のどれでしょう？
① half　② leaf　③ owner　④ seed

ヒント リンゴをかじったら虫が出てきた。でももっと悲惨なことは？

---

words & phrases

worm 虫（芋虫のように足のない細長い虫を指す。昆虫は insect）

tragedy 悲劇（喜劇は comedy）

A6

① half

> **訳：リンゴをかじったときに虫を1匹見つけてしまうことは、半分見つけるよりもましだ。それこそが悲劇だ。**

★謎解き リンゴを丸かじりしたとき、中から虫が出てきたとしたら気持ちのいいものではありません。しかし、それはまだ序の口だとこの迷言は言っています。もっと悲惨なことは、からだが半分にちぎれた虫が出てくることだ、と。残りの半分はどこへ行ってしまったのでしょう。そう、あなたの胃の中に消えてしまった、ということです。確かに気持ちの悪い話ですが、「よくない出来事でも、考えようによってはまだましだ。下には下があるんだ」、というポジティブなメッセージに読みとれませんか。

★ワンポイント Finding a worm in your apple は To find a worm ～ とも表現することができます。

動名詞（～ing形）を使うと「いつもしていること」や「すでにしたこと」を伝えるので、「一般論」として話している感じがします。一方、〈to＋動詞（不定詞）〉は「これからすること」を伝えます。「いいかい、もし自分の目で確かめれば、きっと信じられるよ」と目の前の相手に話している場面が浮かびます。ことわざは普遍的な意味を伝えるので、～ing形の方が相性がいいのです。

Q7

Women like a man with a past, but they prefer a man with a
(   ).

—— Mae West

(   )に入る１語は？

ヒント ここでは past の意味を考えてください。

📖 words & phrases

with （＝having）〜を持っている
prefer （あるものよりもう一方を）好む
   prefer A to B（A を B よりも好む）

＊ Mae West（メイ・ウエスト）は 20 世紀に活躍したアメリカ
の俳優。男女関係についての数々の名言を残した。例えば、"A
man has one hundred dollars and you leave him with two
dollars, that's subtraction." (100 ドル持った男性がいて、2 ド
ルを彼に残して去る。それが引き算というもの) など。つまり、
98 ドルはしっかりもらって別れる、ということ。

present

> 訳：女性は過去を持った男性が好き。でも現在(プレゼント)を持った男性の方がもっと好き。

★謎解き "a man with a past" とはどんな男性でしょう。past とは過去を表す語ですが、ここでは a が付いていますから、「何らかの過去の出来事」を意味します。つまり人に言えないような過去を持つアブナイ男性に惹かれる、ということです。

　しかし、この迷言は present を持った男性の方がもっと好き、と言っています。これは past (過去)に対しての present (現在)という意味と、文字通り「贈り物」という2つの意味を掛けています。

★ワンポイント　prefer はラテン語起源の語で、like better (〜よりも好き)の意味です。ラテン語では比較の対象を英語の to にあたる語を使って表します。そこで、prefer A to B (B よりも A を好む)という言い方が生まれたのです。

　senior (年上)／junior (年下)という形容詞も同様の例です。She's **senior to** me, so I have to do what she tells me. (彼女は僕より役職が上なので、言う通りにしなければいけない)

Q8

Christmas is a time when everybody wants his past forgotten and his (   ) remembered.

—— Phyllis Diller

> **クリスマスに関する迷言です。**
> **(   )に入る1語は何でしょう？**

ヒント 前問を解いた人なら即答可能ですね。でも、この迷言の隠れた意味は何でしょう？

📖 words & phrases

want ～ forgotten ～を忘れてもらう(forgotten は forget の過去分詞形なので、受け身の意味が生まれる)

remember ①(～を)覚えておく
I can remember people's faces, but not their names.
(人の顔は覚えていられるけど、名前はだめだ)
②(～を)思い出す
"Where did you park the car?" "I can't remember."
(車をどこに停めたの？　思い出せないんだ)

＊ Phyllis Diller (フィリス・ディラー)はアメリカのコメディエンヌ。

present

> 訳：クリスマスは、誰もが過去のことは忘れ、今のこと(プレゼント)を覚えておいてほしいと願うときです。

★**謎解き**　前回同様に、今回の名言でも present が掛け詞(ことば)となっているのに気づきましたか。「今このときを」、という意味と「(クリスマスの)プレゼント」の両方の意味で使われていますね。そうすると、この名言のメッセージの後半は、… wants his present remembered「自分のプレゼントを覚えておいてほしい」、つまり過去のこと(=今年一年にかけた迷惑)は忘れ、このプレゼントで帳消しにしてほしい、というとても現実的なものになるのです。

★**ワンポイント**　Phyllis Deller は女性や母親の立場から、さまざまな名言・迷言を残しています。よく知られているものを紹介しましょう。

〈子育てに関して〉　**We spend the first twelve months of our children's lives teaching them to walk and talk and the next twelve telling them to sit down and shut up.**（最初の 12 か月は歩いたり話したりすることを教えるのに、次の 12 か月はじっと座ったり、口を閉じることを教える）

There are three stages of man; he believes in Santa Claus; he does not believe in Santa Claus; he is (　　　　).

—— Bob Phillips

> もう一つクリスマスに関しての名言です。
> (　　　　)に入る語は何でしょう？

ヒント 大人になって、親になると経験することです。

words & phrases

stage 成長段階　ステージ

believe in ～ ①(何らかの)存在を信じる
　　　　I believe in UFOs.（UFO は実在すると思う）
　　　　②(人や物事の)力を信じる
　　　　I believe in myself.（自分の力を信じる）

＊ Bob Phillips（ボブ・フィリップス）はアメリカ・テキサス州出身のテレビジャーナリスト。

A9

Santa Claus

訳：人生には3つの段階がある。（最初は）サンタクロースがいると思っている段階。（次は）サンタクロースなんていないと思う段階。（最後は）自分がサンタクロースになっている段階。

★謎解き　誰しも子どもの頃はサンタクロースが来てくれることを心待ちにしますが、物心がつくとそんな思いはどこかへ消えてしまいます。しかし、親になると、今度は自分がサンタクロースに扮して子どもの枕元にプレゼントをそっと置くようになるのです。子どもから青年へ、そして親へ、という人生の変化を見事に捉えていますね。

★ワンポイント　*I Saw Mommy Kissing Santa Claus* という曲は、クリスマスイブの夜に男の子が偶然お母さんとサンタさんがヤドリギ(mistletoe)の下でキスをしているのを見てしまった、というものです。もちろん、彼が目撃したのはサンタに扮したパパの姿なのですが。

　英米圏では、クリスマスの季節にヤドリギの葉を玄関やドアに吊るす習慣があります。それはヤドリギが冬でも枯れず、生命のシンボルであることに関係します。そしてヤドリギの下でキスするカップルは幸せになる、とも言われています。

Q10

There are (　　　　) kinds of people in this world : those who can count and those who can't.

（　　　　）に入る語は何でしょう？
① two　② three　③ no　④ some

ヒント　ここでの count の意味は？

words & phrases

those who 〜　（＝people who 〜）〜という人たち
count　①数を数える　計算する
　　　②（①の意味から）〜を数に入れる　頼る
　　If you need any help, you can count on me.
　　（必要なことがあれば僕を当てにしていいよ）
　　③（②の意味から）重要である　考慮に値する
　　Age doesn't count.（年なんて関係ないさ）

A10

② three

訳：世の中には３種類の人がいる。計算が上手な人
とそうでない人だ。

★**謎解き**　この迷言の後半を読むと、２種類の人のことし
か述べられていません。かといってこの迷言を There
are two kinds of people ... としてしまうと常識的すぎて
面白くありません。three people と言っておいて、実は
２種類の人しか登場しないところに面白さがあるのです。
つまり、こう言っている本人が実は数を数えられない
those who can't count の一人だという皮肉です。

★**ワンポイント**　those は that の複数形であることはご
存じですね。しかし those who の those は those people
の意味なのです。「ああいった人たち」くらいの意味でし
ょうか。ああいった人とはどういう人か知りたいですよね。
ですから後ろに who が置かれ、説明を加えています。例
えば、The resort hotel is ideal for **those who** have small
children. (あのリゾートホテルは小さい子どものいる家族に最適
だ)のように。those who ... のカタマリを見たら、people
who 〜（〜な人たち）と言い換えてみると分かりやすいはず
です。

An archaeologist is the best husband a woman can have. The (   ) she gets, the more interest he takes in her.

—— Agatha Christie

（　　　　）に入る語は何でしょう？

ヒント　（　　　　）には形容詞の比較級が入ります。

words & phrases

archaeologist　考古学者（archaeology は考古学）
　　　　archaeo（古代の、昔の）＋*logy*（学問）＋*ist*（人）
take interest in ～　～に興味を持つようになる

＊ Agatha Christie（アガサ・クリスティ）はイギリスの推理作家で、ミステリーの女王と呼ばれた。オリエント急行に乗ってバグダッドを訪れた際、遺跡の発掘現場で知り合った 14 歳年下の考古学者マックス・マローワンと再婚。この経験から代表作、*Murder on the Orient Express*『オリエント急行殺人事件』や*Murder in Mesopotamia*『メソポタミヤの殺人』が生まれたという。つまり、今回の名言は彼女の実体験に基づいたもの。

older

> 訳：考古学者というのは最良の夫です。妻が年をとれ
> ばとるほど興味を持ってくれるんですから。

★**謎解き**　考古学者というと一見取っつきにくそうで、常
に遺跡を発掘するのに忙しいイメージがあります。しかし、
Agatha Christie に言わせると「夫にするには最高」との
こと。そのココロは「妻が年をとるほど(古くなるほど)興
味を持ってくれるから」。

★**ワンポイント**　The sooner, the better. という表現が
あります。「早ければ早いほどいい」という意味です。こ
のように the＋比較級を重ねることで、2 つの要素(x と y)
の比例関係を表します(x が増えれば y も増える)。

　the＋比較級の後ろに「主語＋動詞」をつなげることも
できます。

The more you have, **the more** you want.

（人は持てば持つほど、もっと欲しくなる）

〈x＝You have more／y＝You want more〉

今回の名言を x と y に分ければ、こうなります。

〈x＝She gets the older／y＝He takes more interest
in her〉

この 2 つが比例関係にあるということですね。

Q12

Baseball is like driving, it's the one who gets（　　　）safely that counts.

—— Tommy Lasorda

野球と運転の共通点は何でしょう？
（　　　）に入る語を考えてください。

 ヒント count（得点を挙げる）の掛け詞です。

📖 **words & phrases**

count ①（スポーツなどで）得点に
　　　なる
　　②大事だ　重要である

（右図）
チョコレートの詰め合わせに
も count が。50 Count Bag
は 50 個入り袋のこと（count
については Q10 を参照）。

Ghirardelli
50 Count Bag　$23.99
80 Count Bag　$33.99
Assorted Flavors

＊ Tommy Lasorda（トミー・ラソーダ）は元ロサンゼルス・ド
ジャースの名監督。日本人メジャーリーガーの草分け、野茂英雄
の当時の監督。野茂を我が子のように面倒を見たことでも知られ
る。

A12

home

訳：野球は車の運転と似ている。安全にホーム(家)に
　　戻ってきた者が得点となる。

★**謎解き**　count は「得点となる」という意味の動詞ですが、
「大事である」という意味でも使われます。ですから、"it's
the one who gets home safely that counts." は、野球
の話で言えば「アウトにならず本塁へ帰還した者が得点に
なる」という意味ですが、車の運転で言えば「無事に家ま
で帰ってくることが大事」という意味にもなるのです。
home にも「ホームベース」と「家」の両方の意味があ
り、結果的に 2 つの語が掛け詞として使われているのが
ポイントです。

★**ワンポイント**　It's X that ～ は「他でもなく X こそが
～だ」と X の部分を強調する表現です。

　It's X that counts. は「大事なのは他でもない X であ
る」という意味です。

　It's the little things that **count**.

　(ほんの些細なことが大事だ)(「街角のユーモア 14」を参照)

　count の代わりに matter が使われることもあります。

　It's when you're doing it that **matters**.

　(いつやるかが重要だ)

Never doubt the courage of the French. They were the ones who discovered that (   ) are edible.

—— Doug Larson

> フランス人を勇敢だと讃える理由は何でしょう。
> (   )に入る生き物を考えてください。
> ① ants ② frogs ③ oysters ④ snails

ヒント 初めて口にするには勇気が必要かもしれません。

📖 words & phrases

doubt （〜を）疑う
courage 勇気
ones （＝people）one が不特定の人（1 人）を指すのに対し、その複数形。「人たち」
edible 食べることができる

＊ Doug Larson（ダグ・ラーソン）はアメリカのコラムニスト。

A13

④ snails

> 訳：フランス人が恐れ知らずであることは疑いようもない。カタツムリが食べられることを見つけたのは彼らなのだから。

★**謎解き**　snail(s) とはカタツムリのことです。世界中でescargot（エスカルゴ）として知られるフランス料理ですが、確かに食べたことがない人にとっては「カタツムリを食べる」というのは驚きかもしれません。そこで、最初に口にした人の勇気に敬意を払うべきだ、というユーモラスな迷言が生まれたのです。

★**ワンポイント**　Never doubt 〜 とは「〜を決して疑うな」という意味ですが、Don't underestimate 〜（〜を過小評価してはいけない）も同じような意味で、人を鼓舞するときなどに使われます。

　Never doubt the power of love.（愛の力を信じよう）
　Don't underestimate your strength.
　（自分の力を安く見積もるな）

　今回の迷言も Never doubt ... と、さぞかしマジメなことを言いそうな始まりが、最後はカタツムリの話に落ち着くギャップがクスリとさせるのです。

Q14

Never ask (　　　　　　) if you need a haircut.

— Warren Buffett

(　　　)に入る職業を考えてください。
① the artist　　② the barber
③ the comedian　④ the teacher

ヒント ビジネスにも通用する格言です。

 words & phrases

if　(＝whether)～かどうか(if のあとには不確かな状況が述べられる)
　　I don't know if it rains tomorrow.
　　(明日雨が降るかどうかは分からない)
haircut　散髪

＊ Warren Buffett (ウォーレン・バフェット)はアメリカの投資家。幼年期からアルバイトをするなど商才を発揮。株を始めたのは 11 歳のときだという。

A14

② the barber

> 訳：髪を切った方がいいかどうかを床屋に尋ねてはい
> けない。

★**謎解き**　床屋に行って「髪を切った方がいいですかね
え」と尋ねれば、当然相手は商売なので「そうですね」と
答えるでしょう。聞くだけ野暮だということです。つまり、
利害関係のある相手はあなたから最大限の利益を引き出そ
うと考えるわけですから、そんな相手からの情報や意見を
真に受けてはいけない、という処世術です。この名言は世
界一の投資家と呼ばれるバフェットのものですが、余計に
説得力を感じてしまいますね。

★**ワンポイント**　if には「もしも～だとしたら」という意
味と「A であるか B であるか」という 2 つの選択を表す
意味があります。ここでは後者の例を見てみましょう。

a）I'm not sure **if** this is the right road or not.

（これが正しい道かどうか確かではない）

if の代わりに whether を用いることも可能です。

b）**Whether** you join us or not is up to you.

（仲間に入るかどうかは、君次第だ）

b)のように whether は文の主語をつくることもできま
すが、この場合に if を用いることはできません。

（×）If you join us or not is ...

Doing business without advertising is like winking at a girl in the dark ; you know what you are doing, but (　　　　　) else does.

—— Edgar W. Howe

> これもビジネスに関する格言です。
> (　　　　)に入る語を考えてください。

ヒント 最後の does は前のどの動詞の代わりをしているでしょう？

words & phrases

advertising 広告　宣伝(ads と省略されることもある)
wink at ～ （～に）ウインクする
　　wink は片目をつぶることだが、blink はまばたき

＊ Edgar Watson Howe (エドガー・ワトソン・ハウ)はアメリカの小説家であり、新聞・雑誌の編集者。

A15

nobody（あるいは no one）

> 訳：広告や宣伝を使わずにビジネスをするのは、暗闇
> で女性にウインクするようなものだ。何をしてい
> るのか分かっているのは自分だけで、他の人には
> 何も分からない。

★**謎解き**　ここでは、ビジネスの顧客を女性にたとえてい
ます。気になる女性の気を惹くためにいくらウインクをし
てみたところで、それが暗闇では誰にも気づいてもらえま
せん。ビジネスにおいても同様で、いくら優れた商品であ
ってもその価値が広く伝わらなければ買い手がつきません。
相手に気づいてもらい、振り向かせるには効果的な発信力
が求められる、というメッセージです。

★**ワンポイント**　英語では 1 つの文の中で同じ内容を繰
り返して使うことを避けるため、動詞や助動詞でその内容
を代用する場合があります。

He knows the answer, but nobody else **does.** (= Nobody else knows the answer.)

次のような代用は意味がとりづらいので注意。

"You're not trying very hard."—"**I am.**" (= I am trying hard.)

He said he would call, but **hasn't.** (= He hasn't called.)

32

High heels were invented by a woman who had been kissed on the (　　　　). ── Christopher Morley

（　　　　）に入る身体の部位を考えてください。
① cheek　② forehead　③ foot　④ hand

ヒント 少し背伸びをしたい女性の心理です。

📖 words & phrases

high heels　ハイヒール（左右一対なので複数形）
invent　発明する　考案する

* Christopher Morley（クリストファー・モーリー）はアメリカの作家・編集者。

② forehead

> **訳：ハイヒールというのは、おでこにキスをされた女性が発明したもの。**

★謎解き　海外の映画やドラマで、子どもが寝る前にパパやママからおでこにキスをしてもらうシーンを見かけます。額にキスするという習慣は親しみや愛情を伝えるものですが、唇へのキスとは少し意味合いが違う気がします。この格言はおでこにキスをされた女性が、もう少し背が高くなったら今度は額ではなく唇にキスをしてもらえるからという思いでハイヒールを発明した、と説いています。文字通り、ちょっと背伸びをしたいココロをユーモラスに表現しています。

★ワンポイント　日本語では「額にキスをする」と言いますが、英語では "kiss her forehead" とは言わずに "kiss her on the forehead" と言うのはなぜでしょう。次の例を見てみましょう。別れ話を切り出した彼が立ち去ろうとするのを、彼女が腕をつかんで必死に止めたとします。さて a) と b) ではどちらが自然な表現でしょう。

　a) She caught him by the arm.

　b) She caught his arm.

　正解は a) です。彼女は必死で「彼を」止めようとしたのですから、caught の目的語は him であるべきです。そ

のときにたまたま捕まえたのが彼の腕であった、ということです。ところが彼の「腕自体」が直接の対象となる場合があります。医師が診察で腕を看たり、脈を取るようなときです。その場合にはThe doctor took his arm（to check the pulse）.のように言います。

　kiss her forehead とすると彼女のおでこに用があったように聞こえてしまいます。ですから英語では kiss her on the forehead のように表現するのが自然なのです。

「今週の予定」

アイルランドの首都、ダブリンのパブの店頭にて。Upcoming Events とは「今後の予定」。今週の予定がすべて Beer とは、さすがギネスビール (Guinness) 発祥の地です。

Q17

You know you are getting old when the (c   ) on your birthday cake start to cost more than the cake itself.

(   )に入る語は何でしょう。
最初の文字は c です。

 年とともに増えるものは？

words & phrases

cost 費用（コスト）が〜だけかかる（〈ワンポイント〉を参照）
     参考「時間や手間がかかる」は take を用いる
     It takes us all day to drive home.
     （車で帰るには一日かかる）
     It takes a lot of time and effort to produce this product.（この製品には手間ひまがかかる）
itself それ自体（Q25 を参照）

candles

> 訳：自分が年をとったことを実感するのは、バースデーケーキ自体よりもその上に載せるローソクの方にお金がかかるようになったときである。

★**謎解き** １桁の年齢であればローソクもケーキに載るでしょうが、何十本となると、そうもいきません。ケーキに載りきらないどころか、ローソク代の方がケーキ代を上回るハメになるかもしれません。そのときに自分が年をとったことをしみじみと実感する、という迷言です。

★**ワンポイント** cost は「お金がかかる」という意味ですが、もう少し広く「代償や犠牲を払う」という意味で使うこともあります。

a) The error **cost** them the game.
（そのエラーで彼らは試合に負けた）

b) The lie **cost** him his marriage.
（その嘘で彼は結婚生活を代償とした＝離婚した）

c) Drinking and driving **costs** lives.
（飲酒運転は命を代償とする）

いずれも〈cost＋人＋犠牲になるもの〉という形で使われますが、c)のように誰にでも当てはまる一般論の場合には you が省略されることもあります。

Q18

I changed my password everywhere to "(   )." That way when I forget it, it always reminds me, "Your password is incorrect."

> パスワードを忘れやすい人の工夫です。
> (   )に入る語は何でしょう。

ヒント これなら、いつ忘れても大丈夫。

---

words & phrases

everywhere どこでも

that way (直前の内容を指して)そうすれば
   You should always wear a mask when you go out. That way you have a low risk of getting infected by Covid. (外出時には常にマスクを着用すること。そうすればコロナの感染リスクが低くなる)

remind (人に何かを)思い出させる

incorrect 間違っている　不正確だ(対義語は correct)

A18

incorrect

訳：自分のパスワードをどれも "incorrect" に変えたんだ。そうすれば、思い出せないときにいつもコンピューターが教えてくれるのさ。「お前のパスワードは incorrect（間違っている）」ってね。

★**謎解き**　パスワードをうっかり忘れてしまい、「入力したパスワードが間違っています」というメッセージに遭遇する機会はよくあります。だったら最初からパスワードを incorrect にしてしまえばいい、というのがこの迷言の発想です。パスワードを忘れても、デタラメなパスワードを入力すれば、「あなたのパスワードは incorrect です」と教えてくれる、というのです。

★**ワンポイント**　remind は人に何かを思い出させるときに使います。This diary **reminds** me of arguing with him. と言えば、「この日記を読むと彼と口げんかしたことを思い出す」という意味ですが、口論は過去にしたことなので arguing と動名詞が使われています。一方、これからすることに対しては〈to＋動詞（不定詞）〉が使われます（動名詞と不定詞については A6 を参照）。これはよく人に対する注意喚起などで使われます。

I'll remind him **to return** the book by tomorrow.
（明日までに本を返すように言おうと思う）

Yesterday my husband thought
he saw a cockroach in the
kitchen. He sprayed and
cleaned everything thoroughly.
Today I'm putting the (   )
in the bathroom.

台所でゴキブリ発見！
(   )に入る語は何でしょう。

ヒント 文中の語が使われています。

 words & phrases

cockroach ゴキブリ(roach と省略することもある)
spray （洗剤などを）吹き付ける　スプレーする
thoroughly 徹底的に

A19

cockroach

> 訳：昨日、夫が台所でゴキブリを見つけたらしい。夫はそこらじゅうにスプレーを撒き、徹底的に台所をきれいにした。今日、私はそのゴキブリを浴室に置いておこうと思う。

★**謎解き** なぜ妻はゴキブリを浴室に置こうと思ったのか。その答えは直前の文にあります。He ... cleaned everything thoroughly. ゴキブリを見つけた夫が必死に台所を掃除するのを見て、妻はしめしめと思ったに違いありません。次にゴキブリを見つけたら、夫は今度は浴室をきれいに掃除してくれるに違いない、と。普段、散らかし放題の夫に対する妻の賢い作戦だったのです。

★**ワンポイント** 〈be 動詞＋〜ing 形〉は必ずしも今、目の前で起きていることだけでなく、近い将来に行うことが決まっていることを表現することもできます。

We're moving to Sapporo next month.

（来月、札幌に引っ越すことになっている）

I'm getting off at the next station.

（次の駅で降ります＝席を譲るときなど）

すでに引っ越しや電車を降りる準備を始めていたり、気持ちの中では「すでにそれが始まっている」感覚を持っているので進行形が使われています。

Q20

Dear math teachers : Stop asking us to find your (   ). She has a new boyfriend.

> (   )にはアルファベットの
> 1文字が入ります。それは何でしょう。

ヒント math teachers が求めているのは？

📖 words & phrases

Dear 〜 : （手紙の書き出し）親愛なる〜へ

stop 〜ing （それまでしていたことを）やめる

We stopped eating lunch when the teacher came into the room.
（先生が教室に来たときお弁当を食べるのをやめた）
次の例と比較
We stopped to eat lunch at the service station.
（ガソリンスタンドで昼食を食べるために止まった）

A20

χ

訳：数学の先生方へ
　χを見つけろって私たちに言うのはやめてもらえ
ませんか。きっと新しい彼氏ができてますよ。

★**謎解き**　数学の問題で "find χ" と言えば「χの値を求め
よ」というお決まりの質問。常日頃授業中に先生からχを
求めよ、χを探せと言われている生徒が逆襲したという話
です。では一体どうやって？

　数学とは関係ない話ですが、ex-wife（前妻）やex-
girlfriend（元カノ）のように自分と付き合いのあった相手
の前に ex- をつけると「前の」という意味になります（こ
れはラテン語の接頭辞からきています）。そこから ex だけで
「前の彼女や彼、あるいは妻や夫」という意味で使われる
ことがあります。"She's my ex." と言えば「彼女は僕の
元カノだ」という意味です。

　χも ex も発音は同じですから、数学の先生の "find χ"
という質問を "find ex" と読み替えれば「僕の元カノを探
して」という意味になります。生徒は「元カノを探せとば
かり言われても困ります。きっと新しいボーイフレンドが
いますよ」と先生にやり返しているわけです。

★**ワンポイント**　ユーモアサイトに次のような投稿があり
ました。

"Find x." (xの値を求めよ) という問いに対して "Here it is." (ここにあるよ) というとぼけた解答。今回の迷言を読んだ人は分かりますね。find x を文字通り「x (がある場所を) 見つけなさい」と解釈し、それに対する珍解答なわけです。

Question: Find x

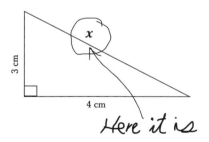

「多様性」

サンフランシスコの LGBT グッズの店で。コップがゆがんでいます。

I'm so gay (that) I can't even drink straight.
（楽しすぎてまっすぐ飲めない）

gay は「陽気な、楽しい」という意味と「ゲイ」を引っかけています。straight も「まっすぐ」という意味と「ゲイではない」というダブルミーニングの言葉遊びです。

・・・・・・・・・・・・・・・・・・・・・・・・・・・・

アメリカの Lefty's という左利き専門店で見つけたキャップです。

I may be left-handed but I'm always right.（左利きかもしれないけれど、オレの言うことはいつも正しい）。left の反対の right と、「正しい」の両方の意味を掛けています。

Q21

I don't smoke or drink. I don't do drugs, but I only have one small problem. I (I   ).

品行方正な私の困った点とは？　（　　　　）に入る
語は何でしょう。最初の文字はⅠです。

ヒント この 1 語ですべての内容がひっくり返ります。

words & phrases

drink 飲酒する(drink だけでお酒を飲む、の意味で使われることがある)
drug ドラッグ　薬物

A21

lie

訳：僕は酒もタバコもやらない。クスリだってやらないが、取るに足らない問題が1つだけある。嘘をつくことだ。

★**謎解き**　最後の一言でその前に言っていることの真偽がすべて怪しくなってしまうのがオチです。結局すべてが嘘だったんだと。"one small problem" という言い方も、ちっとも "small" でないところが笑えます。

★**ワンポイント**　否定文の中での or と and の使い方には要注意です。次の例を見てみましょう。

a) I don't drink **or** drive.

b) I don't drink **and** drive.

a)の文は I don't either drink or drive. とも言えます。not 〈A or B〉で、A も B も違う、という意味ですから、この文は「酒も飲まなければ車も運転しない」ということです。

b)の文は "drink and drive" が1つのまとまりになっています。酒を飲んで車を運転すること、つまり「飲酒運転」はしない、と言っています。or と and で全く内容が違ってきますね。

Q22

If you think you're too small to have an impact, try going to bed with a (　　　　) in the room.

— Anita Roddick

> (　　　)に入る生き物は何でしょう。
> ① bear ② dog ③ mosquito ④ mouse

ヒント 誰しもが経験したことがあるはずです。

---

words & phrases

impact　影響　インパクト（have an impact on ～ で「～に影響力を持つ」）

＊ Anita Roddick（アニータ・ロディック）はイギリスの女性実業家。The Body Shop の創業者である。自然由来の成分で製品をつくり、自社製品のために動物実験を行わないなどの施策を打ち立てた。環境活動家、児童福祉活動家でもあった。

③ mosquito

> **訳：もし自分が無力で何の影響力も持ち得ないと思っ
> ているなら、蚊のいる部屋で一晩寝てみるといい。**

★謎解き　too small to have an impact とは、小さすぎ
て影響力を持ち得ない、という意味です。私たちは自分の
存在の小ささに無力感を覚えることがあります。そんなと
きは蚊がいる部屋で一晩過ごしてみればいい、とこの名言
は言っています。誰しもが夜中に蚊の羽音に眠りを妨げら
れた経験を持っているはずです。あんな小さな蚊でさえ、
たった１匹でも存在感を示せるではないか、と背中を押
してくれているのです。

★ワンポイント　次の２つの文の意味を比べてみましょう。

a) I tried **to call** you, but I was busy.

b) I tried **calling** you, but the line was busy.

a)の文の tried to ～ は「～しようと思った」というだ
けで、実際にやってみたわけではありません。

それに対し tried ～ing は「実際に～してみた」という
意味ですから、b)の文は実際に電話をかけたことが分か
ります。ただし、the line was busy（話し中）だった、と
いうことです。～ing 形は「今やっていることや、すでに
やったこと」を表す形でした。

Forget the (   ), I feel the entire zoo in my stomach when I'm with you.

（   ）には生き物が入ります。さて、何でしょう。
① ants　② butterflies　③ frogs　④ spiders

ヒント ある英語の慣用句が元になっています。

words & phrases

forget 〜を気にしない　〜など大したことではない（Forget it. で「そんなことは気にするな」「忘れてしまえ」）

entire すべての　〜の全体

stomach 胃　お腹

A23

② butterflies

訳：蝶々どころじゃないんだ。君と一緒にいると、動物園中の動物がお腹にいるみたいだ。

★**謎解き**　今回の迷言は、英語のイディオム(慣用表現)が元になっています。それは have/get butterflies in one's stomach という表現です。文字通りの意味は「胃の中で蝶々が飛んでいる」ですが、これは緊張したり、ドキドキ・ハラハラしている様子を比喩的に表現したものです。自分のお腹の中で蝶がパタパタと飛んでいる様子を想像すると、何とも落ち着かない様子が実感できますね。

　ところが今回の迷言は Forget the butterflies で始まっています。蝶々どころの話ではない、というのです。面白いのはその後の entire zoo という表現で、動物園の動物が全部集まって胃の中で騒いでるみたいに、君と一緒にいるとドキドキするというのです。大げさですが、言われた方はまんざらでもないと思うでしょう。何ともユーモラスな表現です。

★**ワンポイント**　have butterflies in one's stomach を知っていると、それをベースにしたユーモアたっぷりの表現を味わうことができます。

　"Dear tummy" で始まる、こんなメッセージがありま

す。tummy とは stomach を指す幼児語です。「最近、蝶々が増えてごめんなさい」とお腹に謝っています。「でも私が悪いんじゃないの。悪いのは彼なの」と結んでいます。It's his. は It's his fault. の省略です。

"Every butterfly in the world has migrated to my stomach."（世界中の蝶が私のお腹に引っ越してきたみたいだ）

これも、好きな人ができたときに使えるフレーズですね。migrate は渡り鳥などが移動する、人が移住する、という意味の動詞です。

Dear tummy,
Sorry for all the
butterflies lately.
I swear it's not my
fault.　It's his.

「国立公園で」

give 〜 a chance は、(人に)チャンスを与える。
Give me a chance! と言えば「やり直す機会を与えて」。
「植物にもチャンスをあげてください」は、遊歩道を外れ
て歩き、野生植物を踏みつぶさないで、というメッセージ。

Be seen ... not heard
"Children should be seen and not heard."(子どもは見
える近さにいてもよいが、オトナの邪魔になるようなお喋
りはダメ)という、食事の際のマナーを説いた文句が元ネ
タです。「動物たちが近くにいるので、声を出さずにお静
かに」というメッセージです。

第2章
ココロを動かす
ポジティブな名言・迷言

　ここでは皆さんの心に残り、ときに思い出し、ときにちょっと背中を押してくれるような名言・迷言を紹介します。有名な人物の言葉もあれば、なかには詠み人知らずの言葉もあります。

　第1章で皆さんのアタマはずいぶん柔らかくなったはずです。さあ、また思考が硬直してしまわないうちに頭の体操を再開しましょう。準備はいいですか？

Q24

The best way to make your dream come true is to (w   ).

夢をかなえる意外な方法とは？
(   )に入る2語は何でしょう？

 **ヒント** 誰にでもできる、当たり前のことですが…。

words & phrases

make your dream come true　夢を実現させる

A24

wake up

訳：夢を実現させる最善の方法は目を覚ますことだ。

★**謎解き**　一般的には、夢を現実にするには絶え間ない努力や日々の訓練が必要と考えるのが常識的です。しかし、ここでは意外にも to wake up（ただ目を醒ますこと）とあります。このギャップに拍子抜けしてしまいますが、考えてみれば頭の中にある夢は具体的に行動しなければいつまでも形になりません。夢を夢で終わらせないためには、何らかの行動を起こさなければダメだ、と私たちに語っているのではないでしょうか。

★**ワンポイント**　この文は A is B（A＝B）の文ですが、Bの部分に to wake up という〈to＋動詞〉の形がきています。〈to＋動詞〉はこれからすることを示す働きがありました。「夢をかなえるなら、これから～せよ」と言っているので to wake up と表現しているのです。ただし、be 動詞のあとの to が省略されることがあります。

　All you have to do is listen to me.

　（僕の話を聞いてくれるだけでいい）

　What you need to do is follow my advice.

　（必要なのは僕の助言に従うことだ）

Nothing is impossible. The word itself says : "I'm (　　　　)!"

—— Audrey Hepburn

（　　　　）に入る語は何でしょう？

ヒント the word が指すものを考えてください。

📖 words & phrases

itself それ自体（〜self は前に置かれた名詞や代名詞を強調する
働きがある）
The president himself came to see us at the airport.
（社長が自ら空港に出迎えてくれた）
Friends are a treasure themselves.
（友情それ自体が宝物だ）

say ①（人が）〜と言う
②（〜に）〜と書いてある（〈ワンポイント〉を参照）

＊ Audrey Hepburn（オードリー・ヘプバーン）はベルギー生ま
れの俳優。アメリカ映画 *Roman Holiday*『ローマの休日』や
Breakfast at Tiffany's『ティファニーで朝食を』で大人気を博
した。幼少期は、第二次世界大戦が始まると母親の母国オランダ
へ疎開し、ナチス抵抗運動を経験した。

A25

possible

> 訳：不可能(impossible)なことは一つもない。不可能
> という言葉自体に "I'm possible"（私はできる）と
> 書いてあるから。

★**謎解き**　impossible という語は im＋possible の 2 つ
の部分からできていますが、Hepburn は im の部分を I'm
と読み替えたのでした。その結果、I'm possible（私は何
でもできる）という超ポジティブな文句に早変わりしたので
す。幼少期にさまざまな苦労があった彼女ならではの名言
として、多くの人に元気を与えてくれます。

★**ワンポイント**　say は（人）が〜と言う、という意味です
が、「人」以外のものが主語になることもあります。一種
の擬人法のような表現ですが、「〜に…と書いてある」と
いう意味で使われます。具体的な例を見てみましょう。

〈お店の掲示を見て〉　**The sign says "CLOSED ON
　MON."**（月曜は休みと書いてある）

〈洗濯のラベルを見て〉　**It says "DO NOT BLEACH."**

　（漂白剤を使わないように、と書いてある）

〈時間を聞かれて〉　**My watch says two-thirty.**

　（僕の時計では 2 時半だ）

Q26

An American believes more than anything else in the last four letters of that title: (   ).

アメリカ人の信念とは？
(   )に入る2語は何でしょう？

ヒント title はふつうは「肩書き」のこと。ここでは that title が何を指すかを考えてください。

words & phrases

believe in ～　～に信念を持つ（〈ワンポイント〉を参照）
letter(s)　ここでは手紙ではなく、「文字」の意味

A26

I can

訳：アメリカ人は他の何よりも、自分たちの呼び名の
最後の4文字を信じる。つまり、I can.（私には
できる）と。

★謎解き　title は本や映画の題名だけでなく、人の「肩書き」や「呼称」という意味にも使われます。この文では "that title" とあるので、that が指すものを文中から探してみることがヒントになります。アメリカ人の呼称とはズバリ "American" です。その最後の4文字を取り出すと "I can." というメッセージが隠れている、という仕組みです。何ともポジティブな発想ですね。

★ワンポイント　believe は「何かを信じる」という意味ですが、これに in がつくと要注意です。

I believed in Santa Clause until five.

（5歳までサンタがいると思っていた）

I don't believe in working hard.

（がむしゃらに働くことがよいとは思わない）

believe in ～ は「何かが存在すると思う」や「～が正しいと思う」という意味で使われます。

今回の名言では、believe と in が離れ、more than anything else（他の何よりも）という語句が挿入されているために、読みとりづらくなっています。

Q27

A parrot (s) much but flies little.

—— Wilbur Wright

(   )に入る動詞は何でしょう？

ヒント parrot の特技といったら？

words & phrases

parrot　オウム(parrot-fashion といえば、オウム返しのこと)

＊ Wilbur Wright (ウィルバー・ライト)はあの有名なライト兄弟の兄の方。弟は Orville Wright (オーヴィル・ライト)。

A27

speaks（あるいは talks）

> **訳：オウムはおしゃべりだが、高くは飛べない。**

★謎解き　オウムはいくら口まねが上手でも鳥である以上、空を飛ぶのが本分のはずです。口ばっかりで行動が伴わない、という意味で Wilbur がオウムにたとえたのだとすれば、「自分は口だけの人間ではない」という痛烈な皮肉です。実際に大空へ羽ばたいた人物の言葉だけに、このたとえは面白みが増します。

★ワンポイント　この言葉に似た文句として、**"Don't be a parrot in life; be an eagle. A parrot talks way too much and can't fly high but an eagle is silent and has the will power to touch the sky."**（オウムになるな、鷲になれ。オウムはしゃべりすぎるくせに高く飛べない。しかし、鷲は何も語らないが空まで届く意志の力を持っている）というものがあります。人は有言不実行ではいけない、不言実行を貫け、と言っています。ここでもオウムは分が悪いようです。

　talk は「言葉を使って相手と会話する」ことを意味しますが、speak はどちらかというと「声を出す」ことに力点を置いた動詞です。I can speak English. と言えても I can talk English. とは言えません。ですから、オウムの場合には speak の方が自然に感じられますね。

If opportunity doesn't knock, build a (　　　　　). —— Milton Berle

（　　　）に入る語は何でしょう？

 **ヒント** knock するといったら、どこを？

✏ words & phrases

opportunity 好機　チャンス
　この単語には "port"（＝港）が含まれている。もともとは
　〈*op*（*ob*）＋*port*〉「港の方に向かって」の意味だった（〈ワ
　ンポイント〉を参照）
knock ノックする（ドアをノックする、という場合には knock
　on a door と on が必要）

＊Milton Berle（ミルトン・バール）はアメリカのコメディアン、
俳優。

A28

door

訳：幸運の女神が戸を叩いてくれないのであれば、自分で戸を建てればいい。

★**謎解き**　この迷言には元ネタがあり、"Opportunity knocks but once." (好機は一度しか訪れない) というものです。knock (ノックする) は knock on the door のことですが、チャンスが訪れることを比喩的に表現しています。しかし、Berle はもし好機がドアを叩いてくれないのなら自分でドアを建てろ、と言いました。じっとして何もせずに待っていても幸運は訪れない、だから自分から積極的に行動してこそチャンスは訪れるのだ、というメッセージです。

★**ワンポイント**　opportunity の語源は興味深いです。*ob*＋*portus* はラテン語で「港に向かって」の意味です。これは「港に向かって風が吹いている」状況を表し、船にとっては入港の「好機」だった、というわけです。

　なお、ラテン語の *portus* (港) は *portare* (運ぶ) から生まれましたが、import は in (im)＋port (港の中へ) で「輸入する」を意味します。export は ex＋port (港の外へ) で「輸出」ですね。自国にとって必要な物を外国からわざわざ import (輸入) するわけですから、それはとても important (大事な、重要な) である、というわけです。

When one door of happiness closes, another opens ; but often we look so long at the (a) door that we do not see the one which has been (b) for us.

—— Helen Keller

もう一つ door に関する名言です。
(a)、(b)に入る語は何でしょう？

ヒント それぞれ反対の意味の言葉です。

words & phrases

another （選択肢が複数ある中から）別の一つの
the one 前に出てきた名詞を繰り返すのを避けるために使う。
ここでは、the door のこと

＊ Helen Keller（ヘレン・ケラー）はアメリカの社会活動家。視覚と聴覚の重複障害を持ち、障害者の教育・福祉の発展に尽くした。

A29

（a）closed　（b）open

> 訳：幸せの扉が一つ閉じるとき、また別の扉が開く。
> なのに、私たちは閉じられた扉をいつまでも見る
> がために、目の前に開いたドアの存在が目に入ら
> ないのです。

★**謎解き**　closed door とは閉じてしまった扉、つまり
自分が逃してしまったチャンスのことです。好機を逃すと
我々はくよくよして、ついそのことを長く引きずるあまり
the one which has been open for us（ずっと開いている
扉＝目の前にある別のチャンス）の存在に気づかない、という
ことです。「一つの扉が閉じるとき、必ず別の扉が開く」
というのは、何と勇気づけられる言葉でしょうか。

★**ワンポイント**　look は「自分から意識して〜に目を向
ける」のに対し、see は「〜が目に入ってくる」という意
味です。日本語の「見る」と「見える」の違いです。閉じ
てしまった扉はいつまでも意識して見てしまうのに対し、
目の前の開いている扉は目に入ってこない、と look と
see が使い分けられています。

　同様のことが listen と hear にも言えます。Listen to
me! とは「意識して聴きなさい」という意味ですが、
Can you hear me? は声が届いているかを確認する「聞
こえますか」の意味です。

Q30

The dictionary is the only place where (s   ) comes before work.

（　　　　）に入る名詞は何でしょう？

ヒント こんなことが起きるのは辞書の中だけだ、と言っていますが…。

words & phrases

work　ある目的を持って行う仕事や勉強のこと。ここでは「努力」と言い換えると分かりやすい。次のようなことわざがある

All work and no play makes Jack a dull boy.

（勉強ばかりして遊ばないと子どもはダメになる）

（動詞の **work** は Q32 を参照）

A30

success

訳：努力の前に成功が来るのは辞書の中だけだ。

★**謎解き** どうして、辞書の中では成功が努力よりも先に来るのでしょう。辞書は、単語をアルファベット順に配列して記載します。success と work という語を比べると、success の方が work よりも順番的に前に置かれる、というわけです。

理由が分かれば「なんだそれだけか」と思いますが、この名言を深読みすれば、「成功が努力に先んずることなど絶対に起こらない。やはり成功しようと思ったら、まず努力することが必要だ」というメッセージが響いてきます。

★**ワンポイント** where は「場所」を尋ねるときに使います。しかし、the place where ～ のように、名詞の後ろに置かれると、「そこでは～だ」と名詞に説明を加える働きをします。a restaurant where pizzas are excellent と言えば「ピザが絶品のレストラン」という意味です。この where は前後の内容をつなげる(関係させる) and と場所を表す副詞 **there** (here) の両方の役割を兼ねているので「関係副詞」と呼ばれます。

I know a restaurant where (=and there) pizzas are excellent. のように、where を and there に置き換えてみると分かります。

Q31

When a man points a finger at someone else, he should remember that three of his fingers are pointing at
(   ).

(   )に入る語は何でしょう?

ヒント 人を非難するときに気をつけなければいけないことは?

---

words & phrases

point a finger at 〜　①(人を)指さす
　　　　　　　　　　②(人を)悪く言う　非難する
point at 〜　〜を指す　〜の方を向く

A31

himself

訳：人は誰かを指さして非難するとき、残りの３本
　　の指は自分自身をさしていることを、知っておく
　　べきだ。

★**謎解き**　日本語でも「人差し指」と言いますが、英語で
は index finger や pointer finger と言います。今回の名
言は単に人を指さすのは礼儀に反する、と言っているだけ
ではありません。人差し指を相手に向けているとき、他の
３本の指(中指、薬指、小指)は折りたたまれ、人差し指とは
逆の方向を向いている。つまり、自分の方を向いているの
だぞ、と警告しているのです。人の粗を指摘するときはそ
の３倍くらい、よくよく我が身を振り返る必要があると
戒めているのです。

★**ワンポイント**　point at ～ の at は「ある一点」を表し
ます。look at ～と言えば「ある一点を見る」ことですし、
aim at ～ と言えば「ある一点に目標を定める」ことです。
時間のある一点を指すときも at を用います。いくつかの
選択肢から一つの対象を指すときも同様です。

　I'm good **at** math.（数学が得意だ）

　メールアドレスに使われる@マーク(英語では at sign)は
ラテン語の *ad* の *d* を長く伸ばしたデザインです。

Don't worry, if Plan A doesn't work, there are 25 more letters in the (　　　).

(　　　)に入る語は何でしょう？

ヒント ここでの letters の意味は？

words & phrases

work 自ら動いてその機能(力)を発揮すること
①(システムなどが)機能する
The air conditioner isn't working well.
(エアコンが効いていない)
②(薬が)効く
This cold medicine isn't working on me.
(風邪薬が自分には効かない)
③(予定の)都合がいい
4 pm tomorrow? That works for me.
(明日の午後4時？　それは自分には都合がいい)
④(計画が)うまくいく
I hope our plan works this time.
(今回こそ計画がうまくいくといい)

A32

alphabet

訳：心配ない。プラン A がうまくいかなくても、アルファベットにはまだ 25 文字残ってるさ。

★**謎解き**　ここで使われている letters は「アルファベットの文字」の意味です。そこから letter には「手紙」や「文学」という意味が生まれました。Plan A とは最初に立てる計画のことですが、それがうまくいかなくても諦めるのはまだ早い、と言っています。アルファベットにはまだ 25 文字ある。つまり Plan A がダメなら Plan B、C、D、E、F…があるさ、ということです。これぞ究極のポジティブ思考ですね。

★**ワンポイント**　alphabet（アルファベット）という語はギリシャ文字の最初の「α（アルファ）」と 2 番目の「β（ベータ）」をつなげたものです。その 1 文字ずつを letter と言います。では漢字の 1 文字も letter でしょうか。実は漢字の 1 文字は a（Chinese）character と言います。厳密には letter は表音文字、character は表意文字という区別があるのです。しかし一般的には character には表意文字も表音文字も、また記号や数字なども含まれます。ですからパスワードの「文字」は characters が使われます。Your password must be between 6-12 characters long. （PW は 6〜12 文字の長さでなければいけない）

Nothing in the world is ever completely wrong. Even a stopped (　　　　) is right twice a day.

—— Paulo Coelho

（　　　）に入る語は何でしょう？

ヒント １日に２回は正確、といえば？

words & phrases

ever　(＝at any time) いかなるときでも
wrong　①(内容が)事実に合っていない　正確でない
　　　　②(判断が)間違っている
　　　　③(道義的にみて)良くない
completely　完全に　100パーセント
stopped　(stop の過去分詞)止まった　動かなくなった
right　wrong の対義語

＊ Paulo Coelho（パウロ・コエーリョ）はブラジルの小説家。

A33

clock（あるいは watch）

訳：どんなときも世の中には完全に間違っているもの
　　などない。動かなくなった時計であれ、日に2
　　度は正しい時間を指すのだから。

★**謎解き**　これは説明の必要がないほど明快な名言ですね。
使いみちがないようなものであってもどこか良いところが
ある、というポジティブな姿勢を伝えています。もちろん
これは人間に対しても当てはまる、というのがこのメッセ
ージの本質でしょう。

★**ワンポイント**　今回の名言には right と wrong という
反対の意味を持つ形容詞が使われています。これらは主に
人の考えや判断の是非について用います。

　It is **right** to give up your seat to an elderly person.
　（お年寄りに席を譲るのは良いことだ）

　It's **wrong** for parents to give their children
　everything they want.
　（子どもが欲しがるものを何でも親が与えることは良くない）

　一方、ある基準に照らし合わせたときに「正しい」もの
が correct です。

　This watch keeps **correct** time for a hundred
　years.（この時計は 100 年正確な時を刻む）

では同じ「正しい」「間違っている」でも、「正誤問題」（○×問題）と言うときにはどう言うのでしょう。英語ではtrue or false questions（T/F questions）と言います。true／false は事実に照らして「本当である」とか「誤っている」という意味です。"Otani hit another homerun today."（大谷が今日、またホームラン打ったよ）と言う相手に対し、"Is that **true**?"（ホント？）とは聞けますが、"Is that **correct**?"（正確なの？）とは聞けません。

「交通事情」

道路に書かれた文字の意味
は何でしょう？　XING
PED？　実は逆で、手前
から読みます。PED（＝
pedestrian　歩行者）＋
XING（＝crossing）のこと
で、前方に歩行者の横断歩
道があるので注意せよ、と
いう意味です。運転者目線
の文字の配置になっていま
す。

アメリカのナンバープレートは、アルファベットと数字を
組み合わせます。
希望すれば自分の好きな組み合わせにすることもできます。
上のナンバープレートはあるメッセージを伝えているので
すが、分かりますか？　最後の数字の8は "eight"、M8
は続けて読むと "mate"（＝友達、仲間）と聞こえます。
mate は仲間への呼びかけに使われるので、RELAX M8
は "Relax, mate"（ゆっくり行こうぜ、みんな）というメ
ッセージなのです。

Q34

If I am to speak ten minutes, I need a week for preparation; if fifteen minutes, three days; if half an hour, two days; if (　　　　　), I am ready now.

—— Woodrow Wilson

（　　　　　）に入る時間は次のどれでしょう？
① one second　　② ten seconds
③ five minutes　　④ an hour

ヒント スピーチの長さと準備に必要な時間の関係です。… if (I am to speak) fifteen minutes, (I need) three days (for preparation) のように、省略されている部分を補ってみてください。

words & phrases

(be) to 〜 〜することになっている（be going to 〜 に近い）
preparation 準備
ready 準備ができている

＊ Woodrow Wilson（ウッドロウ・ウィルソン）はアメリカ第28代大統領（任期 1913〜1921 年）。

A34

④ an hour

> 訳：もし私が 10 分スピーチをするとしたら、準備に
> 1 週間は必要だ。15 分話すなら 3 日、30 分なら
> 2 日必要だが、もし 1 時間話すというなら今すぐ
> にできる。

★**謎解き**　政治家にとって演説の出来、不出来は人気を左
右する重要な要素です。さぞ入念な準備をして臨むのだろ
う、とふつうは考えます。案の定、Wilson 大統領は 10
分話すのに 1 週間の準備が必要だ、と言っています。と
ころが 1 時間の長演説なら今すぐにでもできるというの
です。要を得て、簡潔で短い演説ほどきちんとした準備が
必要であり、だらだらと長く話すだけなら何の準備もいら
ない、とこの名言は皮肉っているのです。

★**ワンポイント**　If I am to ... のように be 動詞のあとに
〈to ＋動詞〉が置かれると、基本的には be going to と同
じ意味を持ちますが、「主語の意思にかかわらず」という
含みがあります。The President **is to meet** the Prime
Minister at three.（大統領は首相と 3 時に会う予定だ）のよ
うに公的な予定や、You **are to show** your I.D. at the
entrance.（入り口で I.D. を見せることになっている）のように、
規則で決められた義務などを伝えるときに使われます。

Age is just a number. It's totally irrelevant unless, of course, you happen to be a (   ).

―― Joan Collins

(　　　　)に入るのは次のどれでしょう？
① bottle of wine　② math teacher
③ science book　④ piece of chocolate

ヒント 年齢は大事なのでしょうか、大事ではないのでしょうか？

📖 **words & phrases**

irrelevant ①（テーマとなっていることと）無関係である（対義語は relevant）

②重要ではない

unless 〜 ①〜でない限りは（unless のあとには唯一の例外条件がくる）

②〜であれば話は別だが

happen to 〜 （意図せずに）偶然〜する　たまたま〜である

＊ Joan Collins（ジョーン・コリンズ）はイギリス生まれの俳優。

A35

① bottle of wine

> 訳：年齢なんてただの数字。その人とは何の関係もないものよ。ただし、それがワインボトルとなれば話は別だけれど。

★**謎解き**　Age is just a number. というのは英語圏ではよく使われるフレーズです。irrelevant とは「無関係」という意味ですが、関係がないものは重要でない、ということになります。ただし、（年代物が重宝される）ワインならば話は違う、と Joan Collins は味付けしました。このように unless のあとに非現実的なことを述べ、自分の考えや主張の正しさを強調することがあります。

★**ワンポイント**　とある学校のグラウンドに掲げられた看板です。Grounds Closed to Outside Use（部外者のグラウンド使用禁止）とあり、その下には Unless by Arrangement（届け出をした場合を除く）と続きます。

　この例のように、unless は原則を述べたあとで「例外となる条件」を伝えるときによく使われます。No Minors Allowed Unless With a Parent といえば「未成年者の入店禁止。親同伴の場合を除く」ということです。

Man cannot discover new oceans unless he has the courage to lose sight of the ( ).

—— André Gide

( )に入るのは次のどれでしょう？
① boat ② shore ③ Sun ④ water

ヒント 沖へ出るほど見えなくなるものです。

words & phrases

courage 勇気(encourage は動詞で「勇気づける」)
ラテン語の *cor*「心臓」に由来し、「心の内にあるものを
さらけ出す」の意味から

lose sight of 〜 〜を見失う 〜が見えなくなる(sight は視力
や目に映る景色のこと)
out of sight＝見えなくなる
Get out my sight! (視界から消えろ！)

＊ André Gide (アンドレ・ジッド)はフランスの小説家。

A36

② shore

> 訳：海岸が見えなくなることを恐れていたら、人は新たな海を見出すことはできない（その恐れを克服して初めて新しい海を見出せるのだ）。

★**謎解き**　courage to lose sight of the shore とは、直訳すれば「岸の景色を見失う勇気」です。ここで言う「岸の景色」とは自分が見慣れた、安心できる環境のことです。しかし、それを失くすことを恐れていたら大海原に出ていくことなどできない、と言っています。何事も新しいことに挑戦するには不安がつきものですが、それを払拭する勇気があってこそ成功する、というのです。

★**ワンポイント**　unless を使った名言をもう少し見てみましょう。いずれも否定語と unless が一緒に用いられています。

① No experience is a bad experience **unless** you gain nothing from it.

② You can't do it **unless** you can imagine it.

③ Knowledge is of no value **unless** you put it into practice.

④ You never know what is enough **unless** you know what is more than enough.

そして、もう一つ。

⑤ Age isn't important **unless** you are a cheese.

★例文の意味

①どんな経験だって、そこから何も得るものがなければつまらない経験だ(第36代アメリカ大統領　リンドン・ジョンソン)

②頭に思い描けないことをやってみることはできない(映画監督　ジョージ・ルーカス)

③知識は使ってみなければ価値がない(ロシアの劇作家　アントン・チェーホフ)

④手に余る状況を知って初めて、どれくらいで十分かが分かるのです(イギリスの詩人　ウィリアム・ブレイク)

⑤年齢なんて大事ではない。チーズでもない限り(アメリカの俳優　ヘレン・ヘイズ)

AGE IS IMPORTANT...

「店先の看板で その①」
バーやレストランが
道行く人の目を引く文句を考えました。

Our beers so good we wash our
dishes with Budweiser.

省略を補えばこんな文になります。
Our beers are so good that we
wash our dishes with Budweiser.
（当店のビールはどれも大変おいし
く、当店ではバドワイザーはお皿を
洗うのに使っています）
地ビールが自慢のお店で、バドワイ
ザーのような（どこにでもある）ビー
ルはお客さんに提供していない、と
いうメッセージ。

I'm Sorry for what I said when I was Hungry ... See
you for Lunch. （さっきはあんなこと言ってごめんなさ
い、お腹が空いてたものだから。一緒にランチしましょ）
お腹が減るとイライラするものです。気分を直してランチ
でもどうですか、と誘っています。

Q37

A (   ) between makes love more keen.

(   )に入る語はどれでしょう？
① candle ② fence ③ gift ④ ring

ヒント 愛し合う２人の間には何があるでしょう？

words & phrases

between ① between A and B で「A と B の間」
"by two"を語源とするため、「2 つの間」という意味が生まれた
② (1 語で副詞として) 間にある
keen ① とても～したい　乗り気である
② 夢中な　熱心である
She is keen on Ken.（彼女はケンに夢中）

A37

② fence

訳：2人の間の垣根が愛をいっそう燃え立たせる。

★**謎解き**　fence はフェンス、垣根のことです。ここでは比喩的に2人の関係を邪魔する「障害」や「壁」という意味で使われています。簡単に成就してしまう恋愛よりも、一緒になることが周りから許されないような、困難を伴った恋愛の方が、相手を想う気持ちが高まるということですね。これは恋愛に限ったことではありません。

between—keen と、語尾が同じ発音の（韻を踏んでいる）語を重ねた点も見逃せません。

★**ワンポイント**　恋愛話のついでに、She makes me crazy. という文を考えてみましょう。make(s) の後ろに注目すると、実は me＝crazy という関係が成り立つことが分かります。me＝crazy を文にすれば、I am crazy. です。

make は「ある状況をつくり出す」という意味ですから、彼女のことを考えると気が変になる、ということを言っているのです。

A fence between makes love more keen. も同じです。love＝more keen という関係が成り立ち、それを文にすれば Love is more keen. です。障害によって「愛がより強くなる」状況が生まれる、ということです。

Q38

Love does not consist in gazing at each other, but in looking in the same ( ).

—— Antoine de Saint-Exupéry

もう一つ恋愛に関する名言です。
（　　　　）に入る語はどれでしょう？
① bed　② clothes　③ direction　④ room

ヒント gaze at each other は互いに見つめ合うこと。
当然、2人が向き合った状態になりますね。

📖 words & phrases

consist in ～　（本質的なものが）～にある　～に存在する
gaze at ～　（対象に惹かれたり、興味をもって）～をじっと長い
　　間見つめる

＊ Antoine de Saint-Exupéry（アントワーヌ・ド・サン＝テグ
ジュペリ）はフランスの作家。*Le Petit Prince*『星の王子さま』
で知られる。

A38

③ direction

> 訳：愛とは互いに見つめ合うことではない。2人が一緒に同じ方向を向くことだ。

★**謎解き** 放課後の教室で2人の生徒が仲睦まじく見つめ合っているシーンを目撃することがありますが、サン=テグジュペリはそんなのは本当の愛ではない、と一刀両断にしています。では本物の愛とは何か。それは互いが同じ方向を向いていること(looking in the same direction)だ、と説きます。もちろんこれは2人が「同じビジョンや目標を共有する」ということです。ただ、ロマンチックなことだけが愛ではなく、相手が興味を持っていることに共感したり、関心を持つということも大事だと言っています。耳が痛い限りです。

★**ワンポイント** この名言には look 以外に gaze という動詞が使われています。いわゆる《look 系》の動詞にはどんなものがあるでしょう。

glance：ちらっと見る
The referee glanced at his watch.

glimpse：一瞬だけさっと見る(at 〜 をつけない)
I glimpsed her leaving the room.

gaze：興味を持ってじっと見る
The baby gazed at the toy.

stare：驚いたりして、目を開いてしばらくの間見る
She got surprised and stared into the space.

　こうして見ると、日本語では「見る」という基本動詞の前に「ちらりと」や「ぼうっと」といった擬態語(オノマトペ)をつけ、動作の違いを表現するのに対し、英語ではそれぞれに別の動詞を用いるという違いがあることに気づきます。これは walk などでも同様で、hobble (よたよた歩く)、stagger (ふらふら歩く)、tiptoe (そっと歩く)、march (のしのし歩く)、sneak (こそこそ歩く)など、枚挙に暇がありません。

'LOOKING IN THE SAME DIRECTION'

「店先の看板で その②」

（パブの看板）"Then I'll huff and I'll puff and I'll blow your house in." という、童話 *The Three Little Pigs*『三匹の子豚』に出てくるオオカミの台詞「（中に入れてくれなきゃ）一吹きでこの家を吹き飛ばすぞ」をもじっています。文の最後が in となるところを GIN と洒落ているのです。何としても中に入りたくなるようなパブというアピールでしょうか（huff は息を吸う、puff は息を吐く、で huff and puff 息せき切る、という表現もあります）。

Q39

It's no coincidence that the word "listen" is an anagram of the word "(　　　　)."

（　　　　）に、"listen" の文字を入れ替えた語を考えてください。

ヒント 人の話を聞くときに必要な姿勢です。

words & phrases

coincidence 偶然の一致
anagram アナグラム（単語や文の中の文字をいくつか入れ替えることによって全く別の意味に変化させる言葉遊び）

A39

silent

> 訳：“listen” と “silent” がアナグラムなのは必然である。

★**謎解き**　アナグラムという言葉遊びを使った迷言です。listen のアルファベット 6 文字を並べ替えると silent という別の意味の単語が生まれますが、これは偶然ではないと言っています。人の話を聞くときは黙って聴きなさい、という教訓です。

さて、有名な anagram をいくつか紹介しましょう。

a gentleman（紳士）⇒ elegant man（エレガントな男性）

dormitory（学生寮）⇒ dirty room（汚れた部屋）

Statue of Liberty（自由の女神）⇒ Built to Stay Free（自由であり続けるために建てられた）

a Monday morning（月曜日の朝）⇒ Man in angry mood（不機嫌な男性）

★**ワンポイント**　no は not と同じ否定語ですが、否定の強さが違います。次の文を比べてみましょう。見慣れない外国のお菓子を一口食べたあとの一言。

It's not good.

It's no good.

not は後ろに置かれる語の意味を打ち消すので、not good は「美味しくない」の意味です。それに対し no は

ただ打ち消すというより、「むしろその逆である」という
ニュアンスを含みます。つまり no good は美味しいなん
てとんでもない。むしろその逆、つまり「不味い」の意味
になります。no coincidence も「偶然などではない、む
しろその逆である」ということなので、訳では「必然であ
る」という訳語をつけました。

「店先の看板で その③」

It's thyme to find your inner peas ...? 何のことかと
思ったら、発音してみると分かります。
It's time to find your inner peace ... (心の安らぎを見つ
けましょう)と読めます。thyme (タイム)はハーブの一種、
inner peas はえんどう豆のことです。同音異義語の言葉
遊びですが、最後に and have an Elote Bowl とあります。
elote (エロテ)はメキシコ料理に使われるコーンのことで、
vegan (菜食主義)のお店の野菜サラダを勧める看板でし
た。

Q40

I don't know who my grandfather was; I am much more concerned to know what his (   ) will be.

—— Abraham Lincoln

(   )に入る語はどれでしょう？
① daughter ② family ③ grandson ④ wife

ヒント 視点は過去ではなく、いまや未来に置かれています。

words & phrases

concerned ①〜に関連している
②関心を持っている　気にしている
③ concerned (about 〜) 〜について心配している

＊ Abraham Lincoln（エイブラハム・リンカーン）はアメリカ第16代大統領。国内を二分した南北戦争に勝利した北軍の最高司令官。戦没者墓地で行ったゲティスバーグでの演説はアメリカ史上最も重要な演説とされ、次の文句で終わる。... this nation, under God, shall have a new birth of freedom—and that government of the people, by the people, for the people, shall not perish from the earth.（人民の、人民による、人民のための政治は永遠に滅びることはない）

A40

③ grandson

> 訳：私の祖父がどういう人であったのかは知らないが、彼の孫がどんな人物になるかは関心がある。

★謎解き　his grandson の his とは自分の祖父のこと。つまり、祖父から見た孫とは自分のことを言っていることに気づけたでしょうか。リンカーンのファーストネームである Abraham は父方の祖父の名前をとったそうですが、その祖父がどんな人物だったかには関心がない、と言っています。出自（家柄や血筋）がどうであれ、自分が今をどう生き、どんな未来が待っているかが大事だ、というメッセージに聞こえてきませんか。

★ワンポイント　比較級の前に置かれた語句は〈程度の差〉を表します。例えば、This cabinet is **ten centimeters** taller than that one. と言えば「この戸棚の方が 10 cm 高い」ということです。具体的な数字以外にも much や a little を用いることもできます。

　I'm feeling **much** better today.

　（今日はずっと気分がいい）

　This room is **a little** smaller than the next one.

　（この部屋は隣の部屋よりも少し狭い）

We do not stop playing because we grow old; we grow old because we stop (   ).

—— George Bernard Shaw

(   )に入る語を考えてください。

ヒント 人は何をやめると年をとるのでしょうか？

words & phrases

play 楽しいことをして時間を過ごす　遊ぶ

grow 成長する
もともとは草木などが生える、成長する、が原義であり、
伸び育つ葉の色である green とも語源が同じ

＊ George Barnard Shaw（ジョージ・バーナード・ショー）は
アイルランド出身の劇作家であり、ノーベル文学賞受賞者。皮肉
とウイットに富んだ毒舌家としても知られ、数々の名言を残した。

playing

> 訳：人は年をとるから遊びをやめるのではない。遊ぶ
> ことをやめるから年をとるのだ。

★謎解き　grow old は文字通り年をとる、老けるという
意味だけでなく、人間的に硬直してしまい成長が止まった
状態を指すのではないでしょうか。いつまでも柔軟な思考
を続け、人としても成長を続けるには「遊び心」を持ち続
けることが大切だというメッセージです。

　この名言では、stop playing と grow old を入れ替え
ることによって効果的な表現を生んでいます。このように
一つの文の中の語句を置き換えることによって、インパク
トのある表現が生まれます。

　You should eat to live; not live to eat.（生きるために
　食べるのであって、食べるために生きるのではない）

★ワンポイント　We do not grow old because we stop
playing. という文は not の否定の範囲によって2通りに
解釈することができます。一つは not がそのあとに続く
部分をすべて否定するという考えで、妥当な解釈です。

　a）We do **not** grow old because we stop playing.
　　〈遊ぶことをやめるから年をとる〉のではない

　もう一つの解釈は not の否定の範囲を grow old までと
する考えです。

b）We do **not** grow old because we stop playing.
　　遊びをやめるから〈年をとらない〉

　b）の解釈が自然でないことは明らかですが、not の否定の範囲がどこまでか、というのは英文を理解する上で重要です。not は右側に置かれる要素を否定する、というのが原則ですから、もし b）のような意味であれば、Because we stop playing, we do not grow old. のように because 以下の部分を文頭に置き、not の否定の範囲から外せば誤解がなくなります。

「caught を使った表現 その①」

caught は catch の過去分詞で
「捕まる」という意味があります。
下の掲示はロンドンの公園で見つけたものですが、
さてどのようなことを伝えているのでしょうか？

caught short はもともと「準備不足で不利な状態にいる」ことを意味します。そこから「不意を突かれる」という意味が生まれましたが、イギリス英語のスラングではもっぱら「急に尿意をもよおす」という意味で使われます。掲示は、急にトイレに行きたくなったらこの番号にTOILET とテキストメールを送れば最寄りの公衆トイレの場所を教えてくれるという、一昔前のウェストミンスター区の行政サービスの案内です（スマホの GPS 機能が発達した現在も行われているかは不明です）。もじもじしたピクトグラムがユーモラスです。

Q42

Remember, (a) is the (b) you worried about (c).

—— Dale Carnegie

( )にはそれぞれ下の3つの語のどれかが入ります。分かりますか？

yesterday / today / tomorrow

ヒント （b）のあとには関係代名詞（which/that）が省略されています。

---

words & phrases

remember ①思い出す
②覚えておく
文頭の "Remember" は命令文の形で、「いいかい、思い出してごらん」、あるいは「これから言うことをよく覚えておくように」と相手の注意を喚起する言い方
worry about 〜 〜について（常々）心配する
be worried about 〜 は「一時的に」心配している

＊ Dale Carnegie（デール・カーネギー）はアメリカの作家。自己啓発に関する多くの著作がある。

A42

(a) today
(b) tomorrow
(c) yesterday

訳：いいかね、今日という日は昨日あれほど心配して
いた明日のことなのだよ。

★**謎解き**　カーネギーのこの言葉は、聖書の次の言葉を
想起させます。"Do not worry about tomorrow, for
tomorrow will worry about itself. Each day has
enough trouble of its own."（明日のことを思いわずらうな。
明日のことは、明日自身が思いわずらうであろう。一日の苦労は、
その日 1 日だけで十分である）

　悩み事を抱えているときは視野が狭くなりがちですが、
"Tomorrow is another day."（明日は明日の風が吹く）です。
いざその日になってみれば心配していたほどのことでもな
かった、ということはよくあります。

★**ワンポイント**　この文は一見すると "worried about
yesterday"（昨日のことを心配した）と解釈しがちですが、
そうではありません。the tomorrow（which）you worried
about と関係詞を補うと分かりやすくなります。「（今日と
いう日は）あなたが心配していた明日」という意味ですね。

Q43

By the time a man realizes that his father was right, he has a (　　　　) who thinks he's wrong.

—— Charles Wadsworth

父親の姿を述べたものです。
(　　　　)に入る語はどれでしょう？
① father　② mother　③ son　④ wife

ヒント 立場は変われど実態は？

words & phrases

by the time ～　～の時までには
realize　①（重要性を）理解する
　　　　He apologized when he realized his mistake.
　　　　（自分が間違っていたと分かり、謝罪した）
　　　　②（知らなかったことに）気づく
　　　　I realized I had left my umbrella on the subway.
　　　　（地下鉄に傘を忘れてきたことに気づいた）

＊ Charles Wadsworth（チャールズ・ワズワース）はアメリカのピアニスト。

A43

③ son

> **訳：自分の父親が正しかったかもしれないと気づく頃には、自分の言うことを間違っていると思う息子がいるものだ。**

★**謎解き**　父親と息子の関係を説いた名言です。ティーンエイジャーの頃や社会に出たてのときは、なんとなく父親の言うことが疎ましくて、ときにそれに反抗したり、否定したりするものです。ところがそんな自分にも家族ができ、親の立場になると、昔父親に言われたことの意味がやっと分かってくるものです。そして気がつくと、自分の息子もかつての自分のように親の言うことに対し懐疑的であったり反抗的であったりと、自分もかつての父親と同じ立場にいることに気づくのです。大人になって初めて親の気持ちが分かる、という親への愛情をこの格言は伝えているのではないでしょうか。

★**ワンポイント**　by は「～までに̇は̇」、till (until) は「～までず̇っ̇と̇」と覚えるのがコツです。次の例を見てみましょう。

I'm going out, and I'll be back **by** three.

（出かけるけど、3時までには戻ります）

I'm going out, but stay here **till** I'm back.

（出かけるけど、戻るまでずっとここにいてください）

A mother is not a person to lean on, but a person to make leaning (　　　).

—— Dorothy Canfield Fisher

次は母親についてです。
（　　　）に入る語を考えてください。
① uneasy　② unimportant
③ unfair　④ unnecessary

ヒント 母親の役目はどんなことだと言っているでしょう？

words & phrases

lean on ～ ①（物理的に）～に寄りかかる　もたれかかる
②（精神的に）～を頼りにする　依存する
leaning 人を頼りにすること　依存すること

＊ Dorothy Canfield Fisher（ドロシー・キャンフィールド・フィッシャー）はアメリカの教育者。子ども向けのストーリーを多く書き、アメリカの児童文学者の先駆けと呼ばれる。

A44

④ unnecessary

> 訳：母親とは頼りにする存在ではない。頼らずにすむ
> ような人間に育ててくれる存在である。

★**謎解き** 高校生や大学生になっても母親に朝起こしても
らったり、いつまでも親の指示を待っている人がいます。
lean は「傾く」という意味ですが、lean on 〜 と言うと
誰かにすっかりもたれかかっている姿が浮かびます。まさ
に「依存」です。しかし、子どもが精神的な自立ができな
い原因は、それを助長する親にもあるのかもしれません。
親の役割は頼られることではなく、頼らなくてもいいよう
にすることだとこの格言は説きます。親離れができない子
どもにも、子離れができない親にも耳が痛い言葉です。

★**ワンポイント** The news made us surprised. と言え
ば「その知らせに驚いた」という意味ですが、made のあ
とには us＝surprised (We were surprised.) という文が
作れます。つまりこの make (made) は「ある状況を作り
出す」という意味で、後ろには状況を説明する文が作れる
のです。

　この名言の make leaning unnecessary は make のあ
とに leaning is unnecessary という文が作れるので、依
存を不必要にする状況を作る、つまり「人に頼らずにすむ
ようにする」という意味になるのです（A37 を参照）。

Q45

Life isn't measured by the number of breaths you take, but by the number of moments that take your (b   ) away.

—— **Maya Angelou**

人生の充実度を測るものです。(   )に入る語は何でしょう。最初の文字は b です。

ヒント 文中の語句をよく見てください。

📖 words & phrases

measure　(長さ・面積・距離を)測る
　　weigh 「(重さを)量る」、time 「(速度を)測る」
　　take one's temperature (熱を測る)
　　check one's blood pressure (血圧を測る)
breath　呼吸(take a breath で「息を吸う、呼吸する」)
moment　瞬間

---

* Maya Angelou (マヤ・アンジェロウ)はアメリカの詩人。公民権運動に貢献し、大統領就任式で詩を披露したこともある。

A45

breath

訳：人生とは、我々が何回息をしたかではなく、どれほど息をのむ感動の瞬間を味わったかで決まる。

★**謎解き** take a breath は「呼吸をする」という意味ですが、take your breath away となると、相手を「ハッとさせる」、「息ができないくらい夢中にさせる」という意味になります。呼吸の回数ではなく、どれだけ夢中になった瞬間があったかによって人生は測られる、とこの格言は言っています。生きてきた長さではなく、どれだけの感動を体験したかが人生の充実度を決めるのです。

★**ワンポイント** not A but B は「A ではなく B である」という意味ですが、「世間的には A のように思われているが、実はそうではなく B が正しい」というように、A には一般的に思われていることが前提として述べられ、B にはそれに反対する筆者や話し手の考えが述べられます。

Happiness is **not** by chance, **but** by choice.
（幸せとは運によって得られるものではなく、自分のした選択によって得られるものだ）

Aging is **not** lost youth **but** a new stage of opportunity and strength.（年をとるとは若さを失うことではなく、新しい機会と力を得る場である）

Q46

Be careful when you follow the masses. Sometimes the (　　　) is silent.

（　　　）にはアルファベットの１文字が入ります。それは何でしょう。

ヒント silent は「音が出ない、発音されない」という意味で使われています。

---

 words & phrases

mass ①量や数の多い　大規模な
②（大きな）塊
③大勢の集団（the masses で「大衆、群衆」）

silent ①音のしない　静かな
②黙っている
③発音されない
例えば know の "k" や climb の "b" は silent〈黙字〉である

A46

(masses の) M

> 訳：その他大勢の意見に従おうとするときは気をつけ
> た方がいい。大勢(masses)の最初の M はときと
> して発音されないから。

★**謎解き** ここでは the M と silent が２通りに解釈でき
ることがポイントです。the M を the masses（一般大衆）
の省略形と解釈し、silent を「黙っている」ととれば、
「もの言わぬ大勢の一人になるな」という戒めになります。
一方、the M を masses の最初の "m" と解釈し、silent
を「発音しない」ととるとどうなるでしょう。masses の
"m" を発音しないと "asses"（馬鹿者たち）という意味にな
ります。ですから「ときとして大衆は愚衆である」という
戒めにもなります。つまりどの意味でも「大衆に迎合する
な」、という警告の言葉であることが分かります。

★**ワンポイント** 「フォローする」という日本語と、英語
の follow は同じ意味ではありません。follow は「〜のあ
とに続く」という意味ですが、次のような使い方をします。
〈物理的にあと〉
　She found someone was **following** her.
　（誰かが後をつけているのに気づいた）
〈時間的にあと〉
　A big tsunami **followed** an earthquake.

（津波が地震のあとに続いた→地震のあとに津波が発生した）

〈心理的にあと〉

I decided to **follow** her advice and do some exercise.（彼女の助言に従って、運動した）

　心理的に従う、ということは相手の言うことを支持するということですから、最近では次のような使い方を見かけます。

I'm **following** her on Instagram.

（私は彼女をインスタでフォローしている）

　日本語では人の失敗をフォローする、という言い方をしますが、この場合は follow ではなく、help や support が自然です。

I helped her when she made a mistake.

「有料・無料の境目」

シンガポールの地下鉄の改札で。
"Mummy, I'm taller than 0.9 m, I need a ticket to get in." とあります。「身長が 90 cm 以上だから切符が必要」とは、年齢ではなく身長で運賃の必要の有無が決まるということ。自動改札機の隣に目盛りつきのイラストがあり、0.9 m の目盛りを超えていれば子ども料金が必要なのです。

114

Make yourself heard. Be a voice, not ( ).

( )に入る語はどれでしょう。
① an action　② an echo
③ a noise　④ a sound

 **ヒント** voice はどんな意味で使われているでしょう？

words & phrases

voice ①（話したり、歌うときの）声
②（自分の意見を）表明すること　表明する権利
Parents should have a voice in deciding how their children are educated.
（親は子どもの教育について意見を持って当然だ）

② an echo

> 訳：自分の声を届けなさい。だが、それは自分の意見
> であって、誰かの意見の真似であってはいけない。

★**謎解き** echo とは「こだま（やまびこ）」のことです。
声や音が山や谷に反響して聞こえる現象ですが、ここでは
「誰かが言ったことをそのまま真似して発言すること」の
たとえとして使われています。一方、voice には「自らの
考え、意見」という意味があります。つまり、自分の声を
伝える（make yourself heard）ためには誰かが言ったことで
はなく、自分の意見を持つべきだと言っているのです。

★**ワンポイント** make yourself heard は、make
〈yourself＝heard〉、つまり自分自身の言っていることを
人に聞いてもらう状況をつくれ、という意味ですから、
「自分の意見を人に聞いてもらう」ということです。

make yourself ... の表現は、他にも次のような使い方
があります。

I used some gestures to **make myself understood**.
（ジェスチャーを使って言いたいことを伝えた）

The candidate tried to **make herself known** to
voters.
（立候補者は自分の名前を投票者に知ってもらおうとした）

To the world you may be one person, but to one person you may be the (　　　　).

—— Dr. Seuss

（　　　）に入る語は何でしょう。

ヒント 文中の語句が入ります。

📖 **words & phrases**

world ①地球や、そこに住む人々や場所、もの
②世間　世の中全体

＊ Dr. Seuss（ドクター・スース）はアメリカの絵本作家。*The Cat in the Hat* や *How the Grinch Stole Christmas!* など世界80か国以上で翻訳され、愛読されている。一方、一部の作品には人種差別的な描写があるとして2021年に6作品が出版停止となった。

A48

world

> 訳：この世界にとってあなたは一人の人間にすぎない
> かもしれないけれど、ある一人にとっては、あな
> たは世界そのものかもしれないのだ。

★**謎解き**　私たち一人一人は、世界の79億人のうちの一人というちっぽけな存在かもしれませんが、あなたの恋人や家族にとってはかけがえのない、たった一人の大切な存在である、と Dr. Seuss は言っています。

★**ワンポイント**　助動詞は、話し手や書き手が物事をどんな「気持ちで」捉えているかを伝えます。must の気持ちは「それしかない」です。

You **must** see a doctor. →行かない、という選択肢はない→行かなければいけない（義務）

You **must** be hungry after swimming. →空腹でない、という選択肢はない→空腹に違いない（断定）

一方、may の気持ちは「それでもいい」です。

You **may** consult another doctor, if you wish. → 他の医者の意見を求める、という選択肢もありうる→意見を求めてもよい（許可）

The dog **may** be thirsty after running. →喉が渇いていない、という選択肢もある→喉が渇いているかもしれない（推測）

Q49

With (　a　) eyes and (　b　) tongue, you should see twice as much as you say.

（　　）に入る語をそれぞれ考えてください。

ヒント 数字が入ります。

 **words & phrases**

tongue ①舌
　　②言語（言葉や話すことに関するイディオムで用いられることが多い）
I have his name right on the tip of my tongue.
（もう少しで思い出せる）
Watch your tongue!（言葉遣いに気をつけろ！）
Hold your tongue. You can't talk to me that way!
（黙っていろ！　オレにそんな口の利き方をするんじゃない）
犬などが舌を垂らしている様子から、with one's tongue hanging out で「～を切望する」の意味が生まれた。
He stared at the all-you-can-eat buffet with his tongue hanging out.
（バイキング料理を生唾をのみ込みながら見つめた）

twice　（＝two times）2倍

A49

（ a ） two （ b ） one

> 訳：目は２つあるのに口は１つである。ということ
> は、口を開くときにはよくよく注意をしてからで
> なくてはいけない。

★**謎解き**　目は左右２つ、口は１つという当たり前の事
実を「哲学的に」解釈した名言です。see twice as much
as you say とは「話す量の倍だけ見る」ということです。
つまり、何か口に出して言おうとするときは、よくよく考
えてからにせよ、というメッセージです。とくに人の振る
舞いに対し非難するときなど、まず己の姿を点検してから
口を開け、という戒めなのです。

★**ワンポイント**　A is twice as ～ as B と言えば、A は
B より２倍～だ、という意味です（半分は half as ～ as）。

　She eats twice as much as I do.（彼女は僕の倍食べる）

　３倍、４倍、…の場合はそれぞれ three times、four
times、…を使います。

　The earth is four times as large as the moon.
　（地球は月の４倍の大きさ）

　そもそも ～ times とは回数を表す言い方です。ですか
ら A is three times as ～ as B. と言えば、A は B を３
回掛けたものと等しい(A＝3×B)ことを表すのです。

Q50

**Yesterday is history, tomorrow
is a mystery and today is a gift.
That's why we call it the
"(p   )."** —— Alice Morse Earle

(   )に入る語は何でしょう。
最初の文字は p です。

ヒント 昨日は過去、明日は未来です。

words & phrases

that's why ～ （前の内容をうけて）それだから～だ
I woke up late this morning. That's why I came late.
（今朝は寝坊してしまった。だから遅刻したんだ）

＊ Alice Morse Earle（アリス・モース・アール）はアメリカの
歴史家。

A50

present

訳：昨日はヒストリー、明日はミステリー。今日とい
う日は贈り物。だからプレゼント（現在）というん
だ。

★**謎解き**　昨日までのことは過ぎ去った過去、明日からど
うなるかは誰にも分からない。今日という日は神様から与
えられた贈り物。今日を大事に生きよう、というポジティ
ブなメッセージです。present に「プレゼント（贈り物）」
と「現在」という２つの意味があることを上手に使った、
何とも洒落た、元気の出る表現になっています（Q7 を参
照）。

★**ワンポイント**　that's why ... と that's because ... は
どちらも因果関係を示す表現ですが、使い方に要注意です。

I slept over and **that's why** I came late this
morning.（寝過ごしてしまったので、今朝は遅刻した）

I came late this morning. **That's because** I slept
over.（今朝は遅刻してしまった。寝過ごしたからだ）

　上の例のように、that's why ... のあとには「結果」が、
that's because ... のあとには「理由」が述べられます。

Q51

War doesn't determine who is right—only who is (I   ).

— Bertrand Russell

> (   )に入る語は何でしょう。
> 最初の文字は l です。

ヒント  right はここでは「右」の意味ではありません。

📖 **words & phrases**

determine ①判断する　決意する
②(①の意味から)事実を見つけ出す　原因を突き止める

＊ Bertrand Russell (バートランド・ラッセル)は 20 世紀を代表するイギリスの論理学者。核廃絶に対する共通の想いから、アインシュタインら科学者 11 名との連名で「ラッセル＝アインシュタイン宣言」を 1955 年に発表。アメリカとソ連の水爆実験に反対し、科学の平和利用を訴えた。この言葉は Winston Churchill (ウィンストン・チャーチル)によっても引用され、世に広まった。

A51

left

訳：戦争は誰が正義かを決めるのではない。誰が生き
　　残るかを決めるだけだ。

★謎解き　right がここでは方向を示す「右」ではなく、
「正しい」「正義である」という意味で使われているのはお
分かりですね。では、left はどんな意味で使われているか。
やはり方向を示す「左」ではなく、動詞の leave（〜を取
り残す）の過去分詞として使われています。つまり、「誰が
生き残るか」ということです。戦争には大義などなく、正
義など生まれない。ただ殺される者と生き残る者しかつく
られないのだ、と言っているのです。

★ワンポイント　decide も determine も「決定する」
という意味ですが、decide は、いくつかの選択肢から自
分で「選んで決める」という意味です。

　He **decided** to be a teacher, although his parents
　were against the decision.

　いくつかの職業から教師を仕事として選んだ、というこ
とです。

　一方、determine の意味は「強い決意」です。

　She **determined** to be a teacher.

　単に教員という職業を選んだ、というよりも、教師にな
るべく努力する決意をした、ということです。

Q52

Everything will be all right in the end. If it's not all right, it is not yet the (   ).

(   )に入る語は何でしょう？

ヒント 最後はうまくいく。うまくいかないとすれば、それはどんなとき？

words & phrases

in the end 結局は　最終的には
not ～ yet 今までのところ～ではない

＊この言葉を言ったのはジョン・レノンであるとも、ブラジルの作家、パウロ・コエーリョとも言われています。また、インドの古いことわざにも同様の言葉があるようです。そういえばインドを舞台とした映画 *The Best Exotic Marigold Hotel*『マリーゴールドホテルで会いましょう』でも、この言葉がラストシーンで印象的に使われていました。

A52

end

> **訳：何事も最後にはうまくいくんだ。もしうまくいっ
> てないなら、まだ終わりじゃないってことさ。**

★謎解き 最後にはすべてがうまくいく、という前提に立
てば、逆に物事がうまくいっていないときはまだ終わりで
はない、ということになります。現状が良くないからとい
って諦めるのはまだ早い、挽回のチャンスはある、という
メッセージです。

★ワンポイント yet は「現時点までの状態」を尋ねたり、
説明するのに用いられます。

Has the rain stopped **yet**?

「現時点までにこうなっていますか？」と尋ねているの
で、「もうすでに」という日本語がぴったりです。

The bus hasn't come **yet**.

否定文では「現時点までにこうなっていない」という状
況を伝え、「まだ〜でない」という意味です。

He has **yet** to arrive.

肯定文では上の例のように、後ろに〈to＋動詞（不定詞）〉
を伴い「現時点では、これから〜する状況である」という
意味を伝えますから、「まだ（今の段階では）〜していない」
と否定的にとると分かりやすいです。

「caught を使った表現 その②」

もう一つ caught を使った掲示を。
一体これはどういう場所で見かける掲示でしょう？

(答えは次ページ)

「caught を使つた表現 その② 答え」

正解はこんな場所です。これはアメリカの大学のキャンパス内に架かる歩道橋にあったものですが、スチールでできた歩道の溝にハイヒールが挟まってしまう危険があることを伝えています(日本でもエスカレーターなどで注意書きを見ることがあります)。

このように caught は「捕まる」だけでなく、何かに挟まれてしまう状況を表すこともあります。Watch out! Your fingers are going to get caught in the closing door. (気をつけて! 指が、閉まるドアに挟まっちゃうよ)

第3章

ココロに浮かぶ
あの名言のパロディ迷言

　人はありきたりなものには満足しませんから、有名なことわざや格言にはそれを面白おかしく言い換えたパロディがつきものです。しかし、元ネタを知っていなければせっかくのパロディも楽しむことができません。そこで、この章では最初に元ネタとなったオリジナル・バージョンを確認してもらいます。次にそれがどんなふうにアレンジされたか、料理の妙を味わってもらいます。

まずは有名なことわざから。
（　　　　）に入る果物といえば？

（　　　　　）a day keeps the doctor away.

チェックしよう！
★オリジナル版の正解　**An apple**
★訳：リンゴを１日１個食べれば医者いらず。
★**語句**　●an apple a day とは「１日につき１個のリンゴ」という意味です。keep ～ away とは～を遠ざける、という意味ですから、医者を遠ざけるとは医者いらず、ということです。
★**ことわざの意味**　リンゴは身体にいいので、毎日食べていれば健康でいられる、という養正訓。

では、上のことわざのパロディです。
（　　　　）に入る野菜といえば？

（　　　　　）a day keeps everybody away.

① **An avocado**　② **A cucumber**
③ **A garlic**　④ **A potato**

③ A garlic

> **訳：1日1個ニンニクを食べていると、誰も周りにいなくなる。**

★**謎解き**　日本では「みかんが色づくと医者が青くなる」というものもあります。いずれも実際の効力は不明ですが、生活の知恵から生まれた養正訓の一つとして伝えられてきたものです。さて、オリジナル版では keep doctors away で「医者いらず」という意味ですが、ここでは keep everybody away として、「みんなを遠ざける」とアレンジしています。つまりニンニクを毎日食べると、口のにおいが強くて誰もそばに寄りつかない、ということです。

★**ワンポイント**　an apple a day の a day は「1日につき」という意味ですが、このように〈a＋名詞〉で「〜につき」という単位を表すことができます。

I go to the gym three times **a month**.

（ひと月に3回ジムに行く）

フォーマルな場面では a の代わりに per を使うこともあります。

The entrance fee is 2000 yen **per person**.

（入場料はお1人様2000円になります）

日本語でも「1人につき」と言う意味で、ビジネス書面などでは「1人当たり」と言ったりするのに似ています。

Q54

「急がば回れ」ということわざです。
（　　　　）に入る語は何でしょう？

Haste makes（　　　　）.
① chase　② erase　③ paste　④ waste

チェックしよう！
★オリジナル版の正解　④ waste
★訳：急ぐと無駄が生まれる（急いては事をし損じる）。
★語句　• haste は hurry（急ぐ）の名詞形。
• waste は動詞では「無駄にする」。
• haste—waste という同じ音で終わる語を並べ、リズムが生まれている点に注目。
★ことわざの意味　英語の Haste makes waste. は慌てて何かをすると結局無駄を生じることになるから、時間がないときこそ慎重に事をすすめよ、という戒め。

では、上のことわざのパロディです。
（　　　　）に入る語を考えてください。

Taste makes（w　　　　）.

A54

waist

訳：美食はウエストを大きくする。

★**謎解き**　オリジナル版の haste の韻を踏む taste に、waste を同音異義語（homonym）の waist に換え、オリジナルのリズムを生かしながらも全く別の迷言を生む離れ業です。taste は「味、味覚」という意味ですが、ここでは「美味しいもの」といった意味で使われています。waist は「腰回り」のことなので、美味しいものばかりを食べているとウエストがどんどん太くなる、というユーモラスな戒めに生まれ変わるのです。

★**ワンポイント**　A make B は A という原因が B という原因を生む、という因果関係を示すものです（A37 を参照）。他にも Practice makes perfect. といったことわざがあります。practice は theory の対義語で、理屈ばかりでなく実際にやってみること、です。日本語でも「習うより慣れよ」と言いますね。では、Good fences make good neighbors. とはどういうことでしょうか。適度な高さのフェンスがよき隣人をつくる、というのですから「親しき仲にも礼儀あり」ということわざが浮かびます。

Q55

will （意志）あるところには、
何があるのでしょう？

Where there's a will, there's a ( ).

① challenge ② friend ③ joy ④ way

チェックしよう！
★オリジナル版の正解　④ way
★訳：意志あるところに道通ず。
★語句　●will は名詞で「意志」。will—way という同じ音で始まる語を並べ、リズムを良くしている点に注目。
★ことわざの意味　確固たる意志を持って物事にぶつかっていけば、必ず道は開ける、という意味です。

では、上のことわざのパロディです。
（　　　　）に入る語を考えてください。

Where there's a will, there are 50 ( ).

① friends　② teachers
③ relatives　④ students

A55

③ relatives

> **訳：遺言書のあるところには 50 人の親戚が集まる。**

★謎解き will には「意志」の他に「遺言状」という意味もあります。本人が生前自分の「意志」を書き記すものだからです。遺言状を巡ってさまざまなトラブルが発生するのはよく聞く話です。とくに故人が多額の遺産を残して逝った場合など、方々から遺産目当ての親類縁者がたくさん集まってくる、とこの迷言は皮肉っています。

★ワンポイント will はもともとは動詞で、「～したい」という意志や願望を表していました。さらに I **will** call you later. のように、他の動詞と結びついて「～するつもりだ」という助動詞としての用法が生まれました。will が未来のことを表すのはこのためです。ただ、それはあくまで本人の「意志」を表すのであって、必ずしも決まった予定を意味するわけではありません。例えば、「勉強したの？」と聞く母親に I'm going to do it after dinner. と言えば、「ご心配なく。予定に入っています」と聞こえますが、I'll (= will) do it after dinner. と言えば、その場しのぎの言い訳のようにも聞こえます。

　相手に何かを頼みたいときに **Will** you turn off the TV? と、will を使って尋ねるのも、will に「意志」の感覚があるからですね。

( )に入る１語とは？

Never put off till tomorrow what you can do ( ).

ヒント 「いつやるの？」と聞かれたら？

チェックしよう！
★**オリジナル版の正解** today
★**訳**：今日できることを明日まで先延ばしにするな。
★**語句** ● put off 〜 〜を先延ばしにする（put off＝
離れたところに置く、から）。
● what you can do あなたができること。
★**ことわざの意味** 思い立ったことはすぐに行動に移す
べし。アメリカ建国の父の一人、ベンジャミン・フラン
クリンの言葉ともされる。... because tomorrow is
not promised to any of us. （明日という日は約束され
ていないのだから）と続く。

では、上のことわざのパロディです。
( )に入る語を考えてください。

Never do today what you can put off until ( ).

A56

tomorrow

> **訳：明日まで延ばせることは今日やるな。**

★**謎解き**　読んで字のごとし。締め切りに追われると、や
らなければいけないと分かっていても、先延ばししたくな
るのが人情。そんなときに、ついこうした迷言に頼りたく
なるのも人情です。

★**ワンポイント**　世の中には時間の大切さを説くありがた
いお言葉がたくさんあります。頭を垂れて拝聴しましょう。

Make hay while the sun shines.

（日が出ているうちに干し草を作れ）

One of these days is none of these days.

（そのうちにという日はない）

Strike while the iron is hot. （鉄は熱いうちに打て）

Tomorrow never comes. （明日という日は来ない）

いくら「好機を逃すな」と言われても、ひねくれ者とい
うのはどこの世界にもいるものです。あのマーク・トウェ
インはこういう迷言を残しました。

Never put off till tomorrow what you can do the
day after tomorrow.

（明後日できることを明日まで延ばすことはない）

つまり、明後日まで延ばせるではないか、ということです。

（　　　　）に入る１語とは？

He who laughs last laughs （　　　　）.

① best　② little　③ long　④ much

ヒント　laugh last は「最後に笑う」という意味。

チェックしよう！
★**オリジナル版の正解　① best**
★**訳：**最後に笑う者がいちばんよく笑う。
★**語句**　●He who ～（＝The person who ～）～する者は。He who laughs last までが文の主語。laughs が動詞です。
★**ことわざの意味**　最初に笑っていた者が最後に泣くこともある。早まって喜んではいけない。最後の結果が出たときに笑える者が勝者である、ということ。

では、上のことわざのパロディです。
（　　　　）に入る語を考えてください。

He who laughs last didn't get the （　　　　）.

① food　② joke　③ money　④ prize

A57

② joke

訳：最後に笑う者はジョークのオチが分からなかった
　　者だ。

★**謎解き**　get the joke は、ジョークのオチが分かるという意味。誰かが面白いことを言ったとき、みんなは大笑いしているのに自分だけが分からず、つい愛想笑いをしてごまかした経験は誰にもあるはず。オチが分からなくても分かったフリをせざるを得ないツラさが伝わる迷言です。

★**ワンポイント**　A10 の〈ワンポイント〉で「ああいった人たち」の意味で使われる those who ... について触れました。今回の迷言で使われている He who ... はその単数形バージョンです。このようなことわざや格言などで見かける表現です。これを使ったもう一つの傑作パロディを紹介しましょう。

He who laughs lasts.

最後の last は動詞として使われています。「長続きする」とか「長持ちする」という意味ですから、「いつも笑っている人は長生きできる」、という意味になりますね (Laughter is the best medicine. 笑いは百薬の長、ということです)。オリジナルの文の最後の 2 語をとっただけでこんな秀逸な迷言が生まれるとは。パロディは奥が深いのです。

Many people believe in love at first sight. （多くの人が一目惚れを信じている）

上の文のある単語をなくすと全く違う意味の格言が生まれます。どの単語をとればいいでしょう？

ヒント love at first sight は「一目惚れ」という意味ですが、この中のいずれかの語をなくしてください。

番外編の正解

最後の sight をとる

★**謎解き** 文末の sight をとると、Many people believe in love at first.（多くの人は最初は愛を信じている）という新しい格言が生まれます。at first は「最初は」という意味ですが、この言葉には「今は違う」という状況の変化が示唆されています。

　At first I couldn't believe him.（最初は彼の言っていることが本当だとは思わなかった）と言えば、「今は本当だと思っている」ということです。

　もう一度、新しくできた格言を見てみましょう。つきあい始めの頃は相手のことが大好きで愛していたが、やがて結婚すると愛が冷めてしまった、という現実をわずか1語とるだけで表現しているところがスゴイのです。

第4章

ジョークのオチを
考えるのはあなただ！

　ジョークには必ず最後にオチがつきものです。オチが分かればスッキリしますが、それを理解するにはきちんとストーリーの内容が分かっていなければいけません。言い方を変えると、オチが分かった人はちゃんとストーリーを理解できた人だということです。

　そこでこの章では、読者の皆さんにあえてジョークのオチを見せないことにします。自分の理解度を試すつもりでオチを見つけてみてください。

　オチを考えるのは皆さんです。

#1
園児から先生へのプレゼント

最後の _____ に入るジョークの「オチ」を考えよう。

On the last day of kindergarten, all the children brought presents for their teacher.

The florist's son handed the teacher a gift.
She shook it, held it up and said, "I bet I know what it is—it's some flowers!"   5
"That's right!" shouted the little boy.

Then the candy store owner's daughter handed the teacher a gift.
She held it up, shook it and said. "I bet I know what it is—it's a box of candy!"   10
"That's right!" shouted the little girl.

The next gift was from the liquor store owner's son, Little Johnny.
The teacher held it up and saw that it was leaking.
She touched a drop with her finger and tasted it.   15
"Is it wine?" she asked. "No," Little Johnny answered.
The teacher touched another drop to her tongue.
"Is it champagne?" she asked.
"No," he answered.

Finally, the teacher said, "I give up. What is it?"

Little Johnny replied, "☐!"

Answer:

① Beer ② Water ③ Ice cream ④ A puppy (＝a baby dog)

📖 words & phrases ★ジョークの背景を知ろう

l. 1 **kindergarten** 幼稚園(アメリカでは義務教育の最初の１〜２年を指す)

l. 3 **florist** 生花店員(お店自体を示すこともある。その場合、florists や florist's と表記されることが多い)

  hand ここでは「〜を手渡す」という動詞の意味で使われている

l. 4 **bet** ① bet on 〜 で「〜に(お金を)賭ける」

  ② I bet 〜、I'll bet 〜、You can bet 〜 といった口語表現で、「きっと〜だ」という意味で用いられることが多い

l. 12 **liquor** ① liquor はウイスキーやウオッカなどの度数の強いお酒を指す

  ② liquor shop は酒店(オーストラリアやニュージーランドでは bottle shop という言い方もある)

l. 14 **leak** ①容器に穴やひびが入っていて、液体やガスが漏れること

  ②情報が漏れる　秘密を漏らす

  ③ take a leak と言うと「おしっこをする」という意味のイディオム

l. 15 **taste** 食べ物や飲み物を少量味見すること

l. 18 **champagne** シャンパン(フランスのシャンパーニュ地方原産の発泡性ワインのこと。よくお祝いなどで飲まれる)

第４章　ジョークのオチを考えるのはあなただ！　145

#1

正解 ④ A puppy

オチの解説

花屋さんの息子は花をプレゼントし、お菓子屋さんの娘はキャンディを先生にあげた。当然、酒屋さんの息子はお酒をあげたと考えるのが常識的思考。その常識の枠を壊すところにジョークのおかしさがある。答えを知ってから、「漏れていた」液体の正体が「子犬のオシッコ」だと分かり、ニヤリとした人はもう一度最初から読み直してみるといい。先生の言動が最初とは違って滑稽に思えて、2度笑えるはず。

★ワンポイント・アドバイス

The florist's son handed the teacher a gift.

この文は〈主語＋動詞＋〜に＋〜を〉という形になっています。この形をとる典型的な動詞は give や make などです。

I gave the teacher some flowers. この文は「何を」あげたかが情報の中心ですが、次のように言い換えると、「**誰に**」あげたのかに焦点が移ります。

→ I gave some flowers **to the teacher**.

同様に、make を使った文を見てみましょう。
I made my brother a paper crane.

（弟に折り鶴を作ってあげた）

上の文を「**誰に**」作ってあげたのかに力点を置くと次のようになります。

→ I made a paper crane **for my brother**.

なぜ give のときは **to** を使い、make のときは **for** を使うのでしょうか。それは、**to** にはもともと「ものが A から B へ移動する」ことを示す性質があるからです。人に何かをあげたりするときは必ずものが別の場所へ移動しますね。しかし、ものを作るだけではそうとは限りません。そのため make のときには to ではなく for が使われるのです。**for** は「〜のために」という、その行為によって利益を受ける人を示す働きがあります。

★全文訳

幼稚園の最後の日、子どもたちがそれぞれ先生にプレゼントを持ち寄った。

花屋さんの息子は先生にプレゼントを手渡した。

先生はそれを振ったり、持ち上げたりして言った。「何だか分かったわ。きっとお花でしょう」

「当たり！」男の子は大喜びだった。

次にお菓子屋さんの娘が先生にプレゼントを手渡した。

先生はそれを持ち上げたり振ったりして言った。「何だか分かったわ。きっとキャンディの箱ね」

「当たり！」女の子は大喜びだった。

次のプレゼントは酒屋さんの息子のジョニーからだった。

先生はプレゼントを持ち上げてみると、中身が漏れてい

るのに気がついた。

　そこで、指で一滴ぬぐってなめてみた。

　「これワインかしら？」先生が聞くと、ジョニーが答えた。「違うよ」

　先生はもう一滴、舌先にのせてみた。

　「シャンパンかしら？」

　「ううん」

　とうとう先生はあきらめて言った。「降参だわ。何が入ってるのかしら？」

　ジョニーの答えはこうだった。「子犬だよ！」

★**今日のトピック**

　puppy は a young dog（子犬）のこと。このように英語には動物の子どもの呼び名がたくさんありますが、よく使われるものを紹介します。

　cat → kitten

　sheep → lamb（ラムはおよそ生後1年程度まで）

　bear → cub（クマだけでなくパンダやトラ、ライオンなどの子どもを指す）

　goat → kid（ヤギの子どもの呼び名だが、一般的に人の子どもを指す口語として使われる）

「自己責任」

ビーチの掲示です。"No Lifeguard on Duty" とは「ライフガード不在」ということ。"Swim at your own risk" は「遊泳は自己責任で」という意味です。日本であれば「遊泳禁止」とするところを「自己責任で」というのが文化の違いで面白いですね。

#2
仲睦まじい老夫婦

最後の _____ に入るジョークの「オチ」を考えよう。

A young man saw an elderly couple sitting down to lunch at McDonald's.

He noticed that they had ordered one meal, and an extra drink cup. As he watched, the gentleman carefully divided the hamburger in half, then counted 5 out the fries, one for him, one for her, until each had half of them.

Then he poured half of the soft drink into the extra cup and set that in front of his wife.

The old man then began to eat, and his wife sat 10 watching, with her hands folded in her lap.

The young man decided to ask if they would allow him to buy another meal for them so that they didn't have to split theirs.

The old gentleman said, "Oh, no. We've been married 15 50 years, and everything has always been and will always be shared, 50/50."

The young man then asked the wife if she was going to eat. She replied, "Not yet. It's his turn with the [   ]."

Answer:

① cup　② meal　③ spoon　④ teeth

 words & phrases ★ジョークの背景を知ろう

l. 1　**elderly**　年をとった(old の婉曲的な言い方)

l. 4　**extra**　余計な　余分の

l. 5　**divide ～ in half**　～を半分に分ける

l. 6　**fries**　French fries(フレンチフライ、フライドポテト)の こと

l. 8　**pour A into B**　A (液体)を B (容器)に注ぐ

　　　soft drink　ソフトドリンク(コーラなどの、アルコールが 入っていない飲み物)

　　　日本では「ジュース」と言うが、英語の juice は果汁 100% のものを指し、それ以外の fruit drink とは区別さ れる。hard drink はアルコール(とくに度数が高い)ドリ ンクを指す

l. 11　**with her hands folded in her lap**　両手を膝の上で組んで

l. 14　**split**　2 つに分ける　分割する

l. 19　**turn**　順番(カードゲームなどで "Whose turn?" と言えば、 「誰の順番?」)

#2

正解 ④ teeth

オチの解説

　仲睦まじい老夫婦がファストフード店で食事をしている。ところがおばあさんは、おじいさんが食べ終わるのをじっと待っているだけ。さて、何を待っているのかというのが、今回のオチ。実は share という語にヒントがある。share は 2 人で食事を半分ずつに分けて食べるのも share だが、1 つの道具を 2 人で使うことも share。老夫婦はいったい何を一緒に使っていたのかというと、スプーンやコップではなく、teeth をシェアしていたという話。お分かりの通り、これは false teeth（入れ歯）のことを指している。

★ワンポイント・アドバイス

　おばあさんが、じっとおじいさんが食べ終わるのを待っている状況を説明する文の中に、... his wife sat watching, with her hands folded in her lap という表現があります。少し分かりづらい構造ですから、(A) his wife sat watching, with (B) her hands folded in her lap と分けてみましょう。

　こうすると(A) with (B) という形になりますね。with はもともと「一緒にある」の意味ですから、(A) with (B) は、(A)という状況と(B)という状況が一緒にある（同時に生じている）、ということを表します。つまり、おばあさん

は座っておじいさんの様子を見ていた(A)という状況と、そのとき手は膝の上で組まれていた(B)という状況が同時に生じていたのですから、「おばあさんは手を膝の上で組んで、おじいさんの様子を座って見ていた」となるのです。

このような with の使い方を参考書などでは「付帯状況」と呼んでいます。

The dog sat there **with** his tail wagging.

（犬はそこに座って尻尾を振っていた）

★全文訳

ある若者の目に、ひと組の老夫婦がマクドナルドで座って昼食をとろうとしている姿が留まった。

老夫婦は1人分の食事を注文し、コップを1つ余計にもらっていた。見ていると、おじいさんは丁寧にハンバーガーを2つに分け、ポテトも1本ずつ数えながら自分と妻に分け、ちょうど半分ずつになるようにした。

すると今度はドリンクを半分もう1つのコップに注ぎ、目の前の妻に差し出した。

それからおじいさんは食事を始めた。しかし、おばあさんは膝の上で手を組んでそれを見ているだけだった。

若者は、もしよければもう1人分の食事を自分が買わせてもらえないかと申し出た。そうすれば2人が食事を2等分せずにすむからだ。

おじいさんは、「いや、とんでもない。私たちは結婚して50年になるのですが、これまでずっとすべて半分半分に分けてきたのです。これからもそうするつもりですがね」と答えた。

若者はおばあさんに向かって、どうして召し上がらない
んですかと尋ねた。それに対し、おばあさんはこう答えた。
「私の番はまだなのよ。いまは夫が入れ歯を使う番だから」

★今日のトピック
　アメリカでは ride-share という習慣があります。これ
は、交通渋滞緩和や排ガス低減などのために 2 人以上の
人がマイカーに相乗り（通勤）をすることで、carpool とも
呼ばれ、奨励されています（pool は蓄えや共同出資の意味）。
ハイウェイを走っていると、朝夕のラッシュ時に 1 車線
が carpool 専用になっていることがよくあります（写真左）。
ここを定員より少ない乗車人数の車が走ると罰金の対象と
なるのですが、場所によっては定員が 2 人ではなく 3 人
以上の路線もあるので注意が必要です（写真右）。車社会ア
メリカの知恵と言えるでしょう。

街 角 の
ユ ー モ ア
12

「caught を使った表現 その③」

シアトルの Pike Place Market という市場の鮮魚売り場
に、WE SELL ONLY WILD SALMON CAUGHT BY
WILD FISHERMEN! とユーモラスな表示が。wild は魚が
天然物という意味と、人が豪快であるという両方の意味で
使われています。共通点は「活きがいい」という点でしょ
うか。

#3
タクシー運転手の前職

A passenger in a cab tapped the driver on the shoulder to ask him something. The driver screamed and lost control of the cab. He nearly hit a bus, went up on the footpath and stopped just centimeters from a shop window. ⁵

For a second everything was silent in the cab, and then the driver said, "Please, don't ever do that again. You scared me to death."

The passenger apologized and said, "I didn't realize that a little tap on the shoulder would scare you so ¹⁰ much."

The driver replied to the passenger, "I'm sorry, it's really not your fault at all. Today is my first day as a cab driver. I have been driving a _____ for the last 25 years." ¹⁵

Answer:
① cargo truck (貨物トラック) ② funeral van (霊柩車)
③ bullet train (新幹線) ④ local bus (路線バス)

I. 1 **cab**　タクシーのこと

　　　　もともと cab は幌馬車を表す cabriolet の略語。そこから
　　　　乗客を乗せる車を taximeter cab と呼んだ。taximeter
　　　　とは料金メーターのこと

　　　　taxi（課金）と tax（税金）は類義語である

　　tap　①（何かを）軽く、繰り返し叩くこと
　　　　　②（何かを）取り出す　抽出する
　　　　　③（②の意味から）盗聴する
　　　　　④（さらに②の意味から、水道の）蛇口

I. 2 **scream**　叫び声を上げる

I. 3 **lose control of ～**　～をコントロール（操作）できなくなる

　　nearly　（＝almost）危うくのところ　もう少しで

I. 8 **scare**　（人を）怖がらせる（scare ～ to death で、「～を死
　　　ぬほど怖がらせる」）

　　　形容詞は scared

I. 9 **apologize**　謝る　謝罪する（謝罪の相手や対象を示すとき
　　　は apologize to〈人〉for〈内容〉）

　　　I apologized to her for coming late.

I. 13 **fault**　過ち　過失（It's not your fault. で、「君が悪いので
　　　はない」）

#3

正解　② funeral van（霊柩車）
*霊柩車は一般的に hearse とも呼ばれる

オチの解説

　タクシーの後部座席の乗客が、運転手に尋ねごとをしようと肩を叩くと運転手は取り乱し、タクシーはバスにぶつかりそうになって歩道に乗り上げてしまう。一体、どうしてそんなに驚いたのかと乗客が問うと、運転手はタクシーを運転するのは実は今日が初日とのこと。では運転が下手かというと、そんなことはない。これまで 25 年間、ずっと違う車を運転していたのだ。それはなんと、霊柩車だった。どおりで後ろから乗客に肩を叩かれたら、肝を冷やしたわけである。

★ワンポイント・アドバイス

I have been driving a funeral van for the last 25 years. という文は I have driven a funeral van ... と言い換えてもほとんどニュアンスは変わりません。しかし、〈have been ～ing〉という形と〈have＋過去分詞〉の形をしっかりと区別する場合もあります。次の例を見てみましょう。

a）I have been reading a book since this morning.
（今朝からずっと本を読んでいる）

b）I have already read 300 pages.
（もう 300 ページも読んだ）

a) の文は今朝からずっと何をしているかにフォーカスした言い方で、b) の文はその結果どうなったかにフォーカスしています。言い換えれば、〈have been 〜ing〉は「過程」に焦点を当て、〈have＋過去分詞〉は「結果」に焦点を当てた言い方といえます。ですから、b) の文を I have been reading 300 pages ... のようには言えません。今回のストーリーでは、運転手のこれまで 25 年間の「過程」に焦点を当てているので〈have been 〜ing〉の形が使われているのです。

★**全文訳**

　タクシーの乗客が尋ねごとをしようと、運転手の肩を叩いた。運転手は大声を上げ、車の運転を誤った。タクシーは危うくバスにぶつかりそうになり、歩道に乗り上げ、お店のショーウインドウのほんの数センチ手前で止まった。

　一瞬、車内には沈黙が流れたが、運転手はこう懇願した。「お客さん、お願いですから二度とあんなことをしないでください。死ぬほど怖かったですよ」

　乗客は謝りながら言った。「ちょっと肩を叩いたくらいであんなに驚くとは思わなかったよ」

　運転手は乗客に答えて言った。「すみませんね、お客さんのせいじゃないんです。今日がタクシーを運転する初日なんです。私、これまで 25 年間ずっと霊柩車を運転してたもので」

★**今日のトピック**

　「叩く」という意味の動詞は tap 以外にもいろいろあり

ます。もっとも一般的なのは hit でしょう。人や物を叩く、という意味で使われます。strike は手や道具を使って強く叩くイメージです。バットでボールを打つのも strike ですね。beat は何度も強く叩く、というときに用います。bang というと大きな音がするイメージです。I banged my head against/on the shelf as I stood up. (立ち上がるときに頭を本棚にぶつけた)と言うと、いかにも痛そうな感じが伝わります。音と言えば rap も「軽くコツコツ叩く」というときに使います。He always raps on the window whenever he comes to my home. (私の家に来るときは、彼はいつも窓をコツコツと叩く)

「子どもの同伴？」

ブッフェスタイル（食べ放題）のレストランの掲示です。
「10歳以下の子どもには大人が1人同伴のこと」とあります。子どもだけでふざけないように、大人が目を光らせてください、ということです。Children must be accompanied by adults.（大人同伴）は、子どもだけの利用を制限するときによく見かける文句です。

これをユーモラスにもじったのが、下の公園の掲示です。
ここでは Child と Adults が入れ替わって、「大人には子どもが1人同伴のこと」となっています。大人だけで遊んではいけません、子どもの同伴が必要です、というのが面白く聞こえます。

#4
命拾いのためのとっさの一言

最後の □ に入るジョークの「オチ」を考えよう。

Three men were going to be executed. John was the first to be brought in front of the firing squad. Just when they were about to fire, he shouted, "Tornado!"

As the gunmen all turned around, he escaped by jumping over the wall.   5

Next in line was Freddy. He was confident that he too will be able to escape. Just when the gunmen were about to pull their triggers, he shouted, "Flood!"

The gunmen turned around and he too managed to escape.   10

Now was Peter's turn. He thought he saw the pattern. When he was finally brought forward, he had a smirk on his face.

He shouted, " □ !"

Answer:
① Earthquake   ② Fire   ③ Lightning   ④ Tsunami

words & phrases ★ジョークの背景を知ろう

l. 1 execute ①（計画を）実行する　遂行する
　　　　　　　　②（人を）処刑する

l. 2 firing squad 銃殺隊（軍隊で銃殺刑を執行するために編成された部隊）

l. 3 (be) about to ～ ～しそうになる　まさに～しようとする

　　tornado トルネード　竜巻

l. 4 escape 逃げる　脱出する

l. 6 confident 自信がある

l. 8 trigger （銃の）引き金（pull the trigger で「引き金を引く、発砲する」）

　　flood 洪水

l. 9 manage to ～ （困難な状況で）何とか～する　どうにか～する

l. 11 see the pattern パターンが分かる

l. 12 smirk 薄笑い　どや顔

#4

正解　② Fire

オチの解説

　いまにも処刑されようとしている3人の男が、それぞれ機転を利かせて絶体絶命の危機を脱しようとする。最初の男は「竜巻だ！」と叫び、銃殺隊の気をそらした隙にまんまと脱出に成功する。2人目も同様の手口で「洪水だ！」と叫んで無事脱出をする。

　3人目の Peter は前の2人の作戦を見ているので、自信満々だ。処刑人の指が引き金にかかったときに、「火事だ！」と叫ぶ。

　Peter も前の2人と同じように、無事脱出できたのだろうか。残念ながらそうはいかなかった。彼が叫んだ "Fire!" という語は「火事」という意味とは別に、動詞で「（銃を）発砲する」という意味がある。つまりFire! とは「撃て！」の合図なのである。

★ワンポイント・アドバイス

　about という語は、*ab*+*out* という要素から成り立っています。*ab* は by の意味に近く、「～のそば、近く」を表しますから、about はもともと「～の外側、～の周り」という意味でした。そこから、about one hour と言えば「およそ1時間」、about my future と言えば「自分の将来について」のように、「およそ」や「～について」という意味を表すようになったのです。

164

ですから about のあとに〈to＋動詞（不定詞）〉が置かれると、「〜する近くにいる」つまり、「いまにも〜しようとしている」という意味になるのです。〈to＋動詞〉はこれからすること、でしたね（A2 を参照）。

I **was about to** go out when the phone rang.
（電話がかかってきたとき、ちょうど出かけるところだった）

★全文訳

　３人の男がこれから処刑されようとしていた。ジョンがまず最初に銃殺隊の前に連れてこられた。銃殺隊がまさに発砲しようとしたそのとき、ジョンが大声で言った。「竜巻だ！」

　銃殺隊が周りを見ている隙に、ジョンは壁を乗り越えて脱出した。

　次に連れて来られたのはフレディだった。フレディは自分も逃げ出せる自信があった。銃殺隊が引き金を引こうとした矢先、フレディは大声を上げた。「洪水だ！」

　銃殺隊が周りを見ている隙に、フレディもまんまと脱出した。

　さてピーターの番が来た。ピーターはコツが分かったつもりだった。いよいよ銃の前に引っ張り出されたとき、ピーターは薄笑いを浮かべてこう叫んだ。

「火事だ！」
Fire

★今日のトピック

　tsunami は、日本語からそのまま英語に入った単語です。1896 年（明治 29 年）に起きた明治三陸地震を報じたナシ

ョナル ジオグラフィック誌の記者が、"On the evening of June 15, 1896, the northeast coast of Hondo, the main island of Japan, was struck by a great earthquake wave." とレポートして、この earthquake wave は日本語では tsunami と言う、と紹介したことが世界に広まったとされています。

　日本だけでなく、これまでに大地震に見舞われてきたアメリカのサンフランシスコ（写真左）や、日本同様島国のニュージーランド（写真右）でも、津波に対する警戒をうながす掲示を見かけました。

Tsunami Hazard Zone「津波警戒地域」「地震のときは高台や内陸へ」とある

Tsunami Evacuation Zone「津波避難区域」

「ゴミのマナー」

国立公園の遊歩道でマナーを守ることを訴える掲示。「森に落ちたキャンディーの包み紙は誰かが拾わない限りずっと消えません」。It's the "Litter" things … とは "It's the little things …"（ちょっとしたことですが…）のもじりです。"It's the little things that matters most." といえば、「些細なことがもっとも大事だ」という格言です。little を litter（ゴミ）と読み替えて、「気づかずに捨ててしまうゴミが実は問題だ」となっているところが面白いのです。

街のゴミ箱に "Don't be a tosser." と。"tosser" はイギリス英語で「嫌なヤツ」の意。ここではゴミを "toss" する（放る）人、という意味と掛けています。ゴミをポイ捨てするような嫌なヤツになるな、というメッセージです。

#5
老夫婦の願い事

When an elderly couple were celebrating their 60th birthday, a fairy came to them and said, "Because you have been such a loving couple all these 35 years, I will give you one wish each."

"I want to travel around the world with my dearest ⁵ husband," said the wife. The fairy moved her magic stick and ... abracadabra! ... Two tickets appeared in her hands.

Now it was the husband's turn. He thought for a moment and said, "Well, this moment is very romantic, ¹⁰ but an opportunity like this only happens once in a lifetime. So ... I'm sorry, my love, but my wish is to have a wife 30 years younger than me."

The wife was deeply disappointed, but a wish was a wish. The fairy made a circle with her magic stick ¹⁵ and ... abracadabra! Suddenly the [(a)] was [(b)] years old.

words & phrases ★ジョークの背景を知ろう

l. 1 celebrate （祝日や誕生日、出来事を）祝う

"congratulate" は人が成功したときに「おめでとうを言う」の意味で、目的語は「人」

Let's congratulate him on his marriage.

l. 2 fairy 妖精

ジョークの世界では願い事をかなえてくれる妖精や精霊が、よく登場する。Genie（ジーニー）といえば、映画『アラジン』で有名なキャラクターだが、もとはアラビアの物語に登場する精霊

l. 4 wish ①〈動詞〉〜を願う

②〈名詞〉願い事

l. 5 dearest 親愛な（dear＝愛しい、の最上級）

l. 7 abracadabra 手品や魔法をかけるときの呪文（「アブラカダブラ」）

appear 現れる　出現する（対義語は disappear 消える）

l. 11 opportunity 機会　チャンス（語源については Q28 を参照）

l. 12 my love この love は「愛する人」つまり、自分の妻のこと

l. 14 disappointed がっかりした　失望した

#5

正解　（ a ）he（＝the husband）　（ b ）90

オチの解説

　ジョークの世界には Fairy jokes（あるいは Genie jokes）と呼ばれるカテゴリーがある。目の前にジーニーが現れて、３つの願いをかなえてくれるというもの。しかし、欲深い人間は最初の２つの願いがかなえられると調子に乗ってしまい、最後のお願いでしっぺ返しをくらう、というのがお決まりのパターン。

　今回のジョークも夫の願いは利己的なものだった。自分より 30 も年の若い妻が欲しいと言うのだ。しかし、実際は若い妻が現れたのではなく、夫自身が 30 歳年をとり、90 歳に変身してしまった、というオチ。そうすると妻は変わらず 60 歳なので、自分より 30 歳若い妻を手に入れたことにはなる。

★ワンポイント・アドバイス

　夫の願いは、... my wish is to have a wife 30 years younger than me. でした。英語に詳しい生徒は、a wife のあとに who is を加えて、a wife who is 30 years younger than me としなくてよいのですか、と質問をしてくれます。もちろんそのような言い方もできますが、who is がなくても立派に文章は成立するのです。それは「後ろに置かれた語句は前の語句の説明」という原則があるからです。

例えば a book on the desk と言えば、「本が 1 冊机の上にある」ことが分かりますね。on the desk という語句が前の a book を説明しています。これをわざわざ a book which is on the desk とする必要はありません。同様に、the woman talking with the teacher と言えば、the woman who is talking with the teacher のことです。このように〈関係代名詞＋be 動詞〉がなくても名詞の説明を加えられます。

★全文訳

ある老夫婦が還暦(60歳)のお祝いをしていたところ、妖精が姿を現し 2 人に言った。「お二人は 35 年もずっと愛し合ってこられた素晴らしい夫婦です。だからお二人それぞれに 1 つずつ願い事を聞いて差し上げます」

「私は愛する夫と世界中を旅行したいわ」と妻が言うと、妖精は魔法の杖を動かし呪文を唱えた。アブラカダブラ！すると妻の手の中に 2 枚の旅行券が現れた。

次は夫の番だった。夫はちょっと考えてからこう言った。「今日のお祝いはロマンチックでいいんだが、こんな機会は一生に一度だ。だから、すまん、お前。ワシの願いは 30 歳年下の妻を持つことだ」

それを聞いた妻は落胆したが、願い事は願い事である。妖精は魔法の杖で宙に円を描き、呪文を唱えた。アブラカダブラ！　すると突然、夫は 90 歳になっていた。

★今日のトピック

次のページのイラストは、老夫婦が揃って野球観戦に出

かけている光景を絵にしたものですが、2人が仲良く並んで歩く後ろ姿は、Together since 1952（1952年からずっと一緒）と読めますね。面白いことに、2人はそれぞれ別のチームの応援ユニフォームを着ていました。応援するチームはライバル同士、というのが2人の仲の良さを余計に引き立てます。

　上下セットのユニフォームの上着のことを、英語ではjersey と言います。日本語の「ジャージ」とはちょっと違います（写真右はサンフランシスコ・ジャイアンツの昔のユニフォーム。球場内で1962 Home Jersey と展示されています）。

1962 Home Jersey:

The San Francisco Giants wore these home uniforms from 1958 to 1976 with a slight variation in 1973 when the uniform lettering colors reversed positions. This uniform was based on the uniforms the Giants wore in New York.

Giants

「売り場で その①」

スーパーの果物(チェリー)売り場で。"Going, going ...
gone!" とはもともと、オークションや競売で使われる
「どうですか、どうですか、はい決まり!」という煽り文
句。ここではチェリーは旬の時期が短いので、タイミング
を逃さぬように、早めに買って冷凍させて、と呼びかけて
いるのです。"Going, going ... gone!" は野球の実況では
ホームランがスタンドに入る場面で使われます。日本語で
は「行った、行った、入った!」

ピザ店で。「y で終わる曜日しかピザは食べない」と宣言
しています。よく考えてみれば、Sunday、Monday、
Tuesday、…すべての曜日が y で終わるので、結局は
「毎日ピザを食べてるんだ」というワケです。

#6
ジグソーパズル完成のお祝い

A group of young women walk into a bar. One of the women tells the bartender to line up a row of drinks for all of them. The gals lift their glasses and toast, "Here's to 51 days!" and they down their drinks. Once again, they tell the bartender to "line them up," and once again they toast 51 days and down their drinks. 5

The bartender says, "I don't get it. Why in the world are you toasting 51 days?"

One of the women explains, "We just finished a jigsaw puzzle. The box read '[   ],' but we finished it in 51 days!" 10

Answer:
① 2–4 hours ② 2–4 days ③ 2–4 months ④ 2–4 years

174

l. 2 line up 〜を並べる

　　row 列

l. 3 gal woman のくだけた言い方（男性は guy）

　　toast （人や出来事に）乾杯する

l. 4 Here's to 〜 「〜に乾杯」「〜を祝って乾杯」という乾杯の
　　ときの決まり文句

　　down （飲み物を）一気飲みする　飲み干す

l. 7 in the world What や How などの疑問詞を強調し、「一体
　　何が」「一体どうやって」の意味

　　what on earth（やや古い言い方）や what the hell（フォ
　　ーマルな場面では使わない）などの表現もある

l. 10 read ①〜と書いてある（say の用法と同じ＝Q25 を参照）
　　The start of the US Constitution reads "We, the
　　people of the United States …"（合衆国憲法の冒頭には
　　「我々、合衆国国民は…」と書いてある）

　　　　②〜と読める　（計器などが）〜を示している
　　This thermometer reads 40℃.
　　（温度計が 40 度を示している）

#6

正解　④ 2-4 years

オチの解説

・・

　若い女性たちがバーで祝杯を上げている。「51 日に
乾杯！」と。「外箱には 2〜4 年必要、って書いてあ
ったのに、私たち 51 日で完成させたのよ」と大喜び。
もちろん箱に書いてあったのは 2-4 years で、これ
は「対象年齢」のこと。幼児向けのジグソーパズルに
実は 2 か月近くもかかっていた、というオチ。

★ワンポイント・アドバイス

　read は「何か書かれたもの」が主語になると「〜と書
いてある」という意味になります。また、NASA が地上
から宇宙飛行士に "Do you read me?" と言えば、「聞こ
えますか？」(＝Can you hear me?)という意味です。宇宙
との交信だけでなく、日常会話でも Do you understand
me? (私の言っていること分かる？)という意味で使われます。
　palm reading という面白い言葉もあります。palm は
手のひらのことですが、手のひらを読む、とは何のことで
しょう。そう、手相占いのことです。palm reader とい
えば手相占い師です(P. 178 の写真参照)。read はこのよう
に文字だけでなく、声を聞いたり、人の気持ちを読んだり
するのです。

★全文訳

　ある若い女性グループがバーに入ってきた。一人の女性がバーテンダーに全員分のドリンクをずらっと一列に並べるようにと言うと、女性たちはグラスを手に取り乾杯をした。「51 日に乾杯！」そして一気に飲み干した。もう一度バーテンダーに「ドリンクを並べて」と言った女性たちは、再び 51 日に乾杯し、グラスを空けた。

　バーテンダーが「よく分からないけど、どうして 51 日なんですか？」と尋ねた。

　一人が説明した。「みんなでジグソーパズルを完成させたのよ。箱には「2〜4 年かかる」って書いてあったけれど、私たちったら 51 日でできちゃったの」

★今日のトピック

　Here's to 〜 以外によく使われる「乾杯！」という挨拶を紹介します。

Cheers!　一般的な乾杯の挨拶。イギリス英語では、Thanks（お礼）や Bye（別れの挨拶）の意味で使われることもある。

Toast!　昔、祝杯のワインにスパイスを利かせたトーストのかけらを入れたことが由来。風味を増すためだとか。

Bottoms up!　グラスの底を上に、つまり空にせよ、ということ。

すこしフォーマルな場では…

Let's make a toast. (to our bright future/to our success など)

I would like to propose a toast to the bride and groom.（新郎新婦に乾杯）

その昔、*Casablanca*（1942年）という映画で主人公がヒロインに言う "Here's looking at you." という台詞がありました。神様があなたを見ていますようにという意味で、これも相手の無事や健康を祈るために乾杯で使われる表現です。この台詞を翻訳家の高瀬鎮夫さんは「君の瞳に乾杯」と訳したのです。80年経った今でも色あせない名訳です。

「売り場で その②」

キャンプ場のショップで。No
Shirt, No Shoes, No Service!!!
と並んでいます。「シャツも靴
も身につけていない場合には対
応しかねます」という意味で、
上半身裸や、裸足での入店はお
断り、ということです。

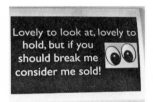

土産物売り場です。「見ても美しいし、手にとっても素敵
です。でも、万一壊れたら売れたものとお考えいただきま
す」が直訳。つまり、壊してしまった商品はお買い上げい
ただきます、ということ。商品を擬人化して "me" として
いるところがユーモラス。

#7
シスターを訪ねた謎の男

Sitting by the window of her convent, Sister Barbara opened a letter from home one evening. Inside the letter was a $100 bill her parents had sent.

Sister Barbara smiled at the gesture. As she read the letter by the window, she noticed a shabbily dressed 5 stranger leaning against the lamp post below.

Quickly, she wrote, "Don't despair. Sister Barbara," on a piece of paper, wrapped the $100 bill in it, got the man's attention and tossed it out the window to him. The stranger picked it up, and with a puzzled 10 expression and a tip of his hat, went off down the street.

The next day, Sister Barbara was told that a man was at her door, insisting on seeing her. She went down, and found the stranger waiting. Without a word, he 15 handed her a huge wad of $100 bills.

"What's this?" she asked. "That's the $8000 you have coming, Sister," he replied.

"Don't Despair paid 80-to-1."

Answer:

① bookmaker　② garbage collector

③ mailman　　④ police officer

 words & phrases ★ジョークの背景を知ろう

l. 1　**convent**　（女性の）修道院

　　　　convent は共に集う、が原義。そこから convention には「集会」や大勢が共有する「慣習」の意味が生まれた

　　　Sister　修道女の呼称。修道女は nun と呼ばれるが、名前の前に Sister をつけて呼ぶ

l. 3　**bill**　紙幣（bills と coins を合わせて money という）

l. 4　**gesture**　①身振りや表情のジェスチャー

　　　　　　　　②（他人や物事に対して）ある人が自分の気持ちを示すために行う行動

l. 5　**shabby**　ぼろぼろの　みすぼらしい（shabbily は副詞）

l. 6　**lamp post**　電柱

l. 7　**despair**　絶望する　希望を失い無力感を味わう

l. 9　**toss**　軽く（ぽいと）放る　投げる

l. 11　**expression**　顔つき　表情

　　　　tip of 〜's hat　帽子を軽く持ち上げ、人に挨拶したり、敬意を示す

l. 14　**insist**　①言い張る　主張する

　　　　　　　　②要求する

l. 16　**wad**　①（綿など柔らかいものを詰めた）固まり

　　　　　　　　②札束

#7

正解　① bookmaker（予想屋）

オチの解説

　修道院の外に佇む、みすぼらしい格好の男を哀れんだシスターが、「<ruby>希望を失わないで<rt>Don't despair</rt></ruby>」というメモとともに 100 ドル札を渡す。ところが次の日、男がシスターに会いに戻ってくる。男はシスターを見るなり無言で札束を手渡そうとする。驚いたシスターが、一体このお金は何なのかと聞くと、配当金（the money you have coming）だと言う。「Don't Despair が 80 倍で当たったんだ」。ここでは pay が「配当金を払う」の意味で用いられており、80-to-1 とは掛け率（オッズ）のこと。つまり男は競馬のブックメーカーであり、たまたまシスターからもらったメモと同じ名前の馬（Don't Despair）が出走予定だったため、てっきり馬券を買うために 100 ドルをもらったと勘違いしたのだ。シスターの善意を知らず、修道女も競馬をやるのか、といぶかしがりながらもお金を受け取る場面が滑稽である。

★ワンポイント・アドバイス

　Inside the letter was a $100 bill her parents had sent. この文の主語を inside the letter と間違える人がいますが、正しくは a $100 bill … 以下の部分です。なぜ主語が文の先頭ではなく文末に置かれているかといえば、「文の最後に大事な情報を置く」からです。重要な情報と

は、読み手や聞き手にとって初めて知る情報〈新出情報〉のことです。情報伝達の場面では、相手と既に共有している情報〈既出情報〉から〈新出情報〉へ、というのが自然な流れです。

　このような並べ方を「倒置」と呼んでいます。倒置は情報がスムーズに伝わるための表現手段なのです。

★全文訳

　ある晩、修道院の窓辺に座り、シスター・バーバラは家族からの手紙を開けた。手紙の中には両親が送ってくれた100ドル札が入っていた。

　バーバラはその親切に口元を緩めた。窓辺で手紙を読んでいると、窓の下に一人のみすぼらしい格好の男が電柱にもたれかかっているのが見えた。

　一枚の紙切れに「希望を失わないで」と走り書きをし、自分がもらった100ドル札を中に包むと、男が気づくようにバーバラは窓の下の男に向かって放り投げた。男はそれを拾うと、不思議そうな表情でお礼の仕草をして歩いて去った。

　翌日、バーバラは昨日の男が玄関のところに来て、会いたがっていると告げられる。降りていくと、男が待っていた。男は何も言わずに大きな100ドル札の束をバーバラに差し出した。

　「何ですの、これは？」とバーバラが尋ねた。「シスター、あなたの配当金の8000ドルですよ」と男が答えた。

　「Don't Despair が80倍で当たったんです」

　ブックメーカー(予想屋)の起源はイギリスの競馬です。レースに出走する馬に倍率(オッズ)をつけ、賭け金に応じた配当金を払い戻すというシステムです。今日では、予想の対象は日常生活のさまざまなことに及び、スポーツイベントのみならず、アカデミー賞やノーベル賞の受賞者から大統領選挙の結果、ロイヤルファミリーの子どもの性別からロンドンのクリスマスの天気(雪が降るかどうか)にまで範囲が広がっています。

「母の味より美味しい？」

レストランのカボチャスープの
ポスター。Mother never made
it like this! とあります。
「お母さんはこんなふうに作っ
てくれなかった」という意味。家
で作るのよりも美味しい、という
メッセージですが、mother が
my mother なのか your mother
なのか、どちらにもとれるのが
面白いですね。

もう一つ、お母さんネタ。コンビニの棚の一番上に一言。
"Act like your mum's (=is) here." とあります。「あなた
のお母さんがここにいるつもりで行動せよ」とは、「お母
さんが見てたらどうしますか？」と暗に万引き行為をたし
なめる文句です。

#8
画期的なスーパー

次の _____ に入る語(2 語)を考えよう。
最初の語は t で始まります。

A new supermarket opened near my house. It has an automatic water mister to keep the produce fresh. Just before the mister turns on, you hear the sound of distant thunder and the smell of fresh rain.

When you approach the milk cases, you hear cows 5 mooing and you experience the scent of fresh hay.

In the meat department, there is the aroma of charcoal grilled steaks with onions.

When you approach the egg case, you hear hens cluck and cackle, and the air is filled with the pleasing 10 aroma of bacon and eggs frying.

The produce department features the smell of freshly buttered corn.

The in-house bakery features the tantalizing smell of fresh baked bread and pastries.
15

I don't buy t ⬚ there anymore.

📖 words & phrases ★ジョークの背景を知ろう

l. 2 **mister** 噴霧器（mist＝霧）を自動的に散布するためのもの
   produce 農産物（とくに野菜や果物）

l. 4 **distant thunder** 遠雷（遠くに聞こえる雷）

l. 6 **moo** 〈擬声語〉牛の鳴き声（日本語では「モー」）
   scent におい　香り（とくに好ましい香り）
   hay 干し草

l. 7 **aroma** 芳香　アロマ

l. 8 **charcoal grilled** 炭火焼の

l. 10 **cluck and cackle** 〈擬声語〉鶏の鳴き声（コッコッ、クワックワッ）

l. 12 **feature** ①（〜を）特集する
   ②（〜を）売り物とする　目玉とする

l. 14 **tantalizing** 食欲をかき立てる

l. 15 **pastries** 小さなケーキ　タルト等の甘い菓子類（食事の最後に食べることが多い）

#8

正解　toilet paper

オチの解説

　最近のスーパーは、売り場のディスプレーにたいそう工夫を凝らしている。生鮮野菜に霧を吹きかけ鮮度を保つのは当たり前で、霧が出るタイミングで遠雷の音と雨の湿った匂いがする仕掛けになっている。牛乳コーナーに近づくと牛の鳴き声が、卵売り場では鶏の声がそれぞれ聞こえ、精肉売り場ではステーキの焼けるおいしそうな匂いが漂うという。もちろんパンコーナーでは焼き立てパンの香ばしい香りを嗅げる。これだけ買い物客の注意を惹くスーパーだが、もう二度とここでは買いたくないものがあるという。それはトイレットペーパーである。おそらく売り場では買い物客の五感にリアルに訴えかける仕掛けを作ったに違いない。どんな工夫だったか、想像しながら読み返してみると面白い。

★ワンポイント・アドバイス

　open は動詞で、a)「店が開く」という自動詞の意味と b)「店を開ける、開業する」という他動詞の意味があります。対義語は close です。

This department store **opens** at 10 am and **closes** at 8 pm.

（このデパートは午前 10 時に開店し、午後 8 時に閉まる）

After they **closed** their liquor shop, they **opened** a convenience store.

（酒屋を畳んだあとで、コンビニを開業した）

open は「開いている、営業中」という意味の形容詞としても使われますが、対義語は close ではなく closed なので注意が必要です（A29 を参照）。

The grocery store is **open** on weekdays but is **closed** on weekend.

（この食料雑貨店は平日は開いているが週末は閉まっている）

日本では、お店が定休日などに CLOSE という掲示をしますが、これは誤りです。ドアに PUSH とあれば「押す」、PULL は「引く」の意味であるように、CLOSE だけでは「閉めろ」という意味になってしまいます。正しくは CLOSED です。

★全文訳

家の近くにスーパーマーケットが新しくオープンした。自動の霧吹き機があり、野菜を常に新鮮に保っているが、

霧吹き機が作動する直前には遠雷がとどろき、雨の湿った匂いが漂う仕掛けになっている。

牛乳売り場に近づくと、モーと牛の鳴き声が聞こえ、干し草の匂いがするのだ。

精肉コーナーには、ステーキ肉がタマネギと一緒に炭火で焼かれる美味しそうな匂いが充満している。

卵売り場では鶏がコッコッと鳴く声が聞こえ、ベーコンエッグが焼けるかぐわしい匂いに満ちている。

野菜の特売場ではバターコーンの香ばしい匂いがする。

ベーカリーでは、パンとお菓子が焼ける食欲をそそる匂いが鼻をくすぐる。

でも、あの店では二度とトイレットペーパーは買うまい。

★今日のトピック

produce は「何かを生み出す」という意味で広く使われます。映画や音楽を produce するといえば製作費を出資することですが、スーパーマーケットで produce といえば畑が生み出したもの、つまり「野菜や果物」を指します。ただし、一つ一つの野菜や果物を指すのではなく、「農作物」という意味ですから a をつけたり、複数形にはならずに I buy produce at a farmer's market.（野菜は即売所で買う）のように使います。

食品関係では他に dairy（乳製品）、deli（総菜）、meat and poultry（精肉）などのセクションがあります。poultry とは家禽のことで、鶏や七面鳥、アヒルやガチョウなどの卵や肉を指し、beef や pork といった meat と区別して使われることがあります。

「猛犬注意」

住宅のフェンスに "Break In. Make His Day!" と猛犬の
イラストが一緒に。
break in は「敷地に侵入する」ということ。make 〜's
day とは「〜の 1 日を最高のものにする」という意味か
ら「〜を喜ばせる」というイディオム。つまり、侵入すれ
ば、猛犬の餌食になりますよ、という警告！

#9
寝起きの悪い男の話

One day a man took the train from Paris to Frankfurt.
When he got in, he said to the ticket man: "Sir, I really
need you to do me a favor. I have to get off this train in
Mannheim, but I'm very tired and I'm sure I will fall
asleep.   5

So what I want you to do is that you wake me up in
Mannheim because I have a business there and it is
very important for me. Here you have 50 Euros for the
favor.

But I warn you: Sometimes when people wake me up,   10
I get really violent, but no matter what I do or say, you
have to get me out of this train in Mannheim. Is that
clear?"

So the ticket man agreed and took the 50 Euros.
Later as the man had said, he fell asleep.   15
And when he woke up, he realized that he was in
Frankfurt!
He was so mad at the ticket man that he ran over and
started yelling at the ticket man. "Are you stupid or
something? I paid you 50 Euros so that you would   20

wake me up in Mannheim. And you didn't! I want my money back!"

While the man was yelling at the ticket guy, two other passengers that were sitting near the man were looking at them. One turned to the other and said, "Look at this guy!"
The other guy replied, "Yeah, almost as mad as the guy that the ticket man made [＿＿＿＿＿＿＿＿] in Mannheim."

Answer :
① fall asleep   ② get out of the train
③ pay another 50 Euros   ④ wake up

📖 **words & phrases ★ジョークの背景を知ろう**

l. 3 **do ～ a favor** （人に）手を貸す　頼みをきく（favor は「好意」や「親切」）
l. 4 **fall asleep** 眠りこむ　眠りに落ちる
l. 10 **warn** （人に）注意を与える　警告する
l. 11 **violent** 乱暴な　暴力的な
　　　no matter what たとえ何があろうと（起きようと）
l. 12 **Is that clear?** 分かりましたか？（自分の言ったことが伝わったかどうかを相手に確認する表現）
l. 18 **mad** ①頭にきている　激怒している（主にアメリカ英語）
　　　②気がふれている
l. 19 **stupid** 馬鹿な　間抜けな（silly や foolish よりも非難の気持ちが強い）
l. 23 **yell** （人に対し怒りなどで）叫ぶ　わめく

#9

正解　② get out of the train

オチの解説

　目的地の駅に着いたら起こしてくれるように車掌に頼んでいた男が目を覚ますと、列車は目的地を過ぎて終点に着いていた。怒った男はかなりの剣幕で車掌に食ってかかった。それを見ていた乗客が "(He is) as mad as the guy that the ticket man made get out of the train in Mannheim." と呆れて言う。「あの男はマンハイムで降ろされた客と同じくらい激怒している」と言うのだから、この両者は別人ということになる。つまり、車掌はマンハイムで全くの他人を起こして、無理やり列車から引きずり降ろしてしまったのだ。もともと男から「自分は寝起きが悪い」と言われていたので、相手が暴れようが構わずに引きずり降ろしたのだ。一方、起こすように頼んでいた男は放っておかれ終点まで来てしまったものだから、こちらも相当の勢いで怒ったわけである。マンハイムで降ろされた男の怒りを想像しながら再読してみることをお勧めする。

★ワンポイント・アドバイス

　the guy **that** the ticket man made get out of the train in Mannheim の **that** は関係代名詞です。関係代名詞は直前の語を説明するときの「説明開始の合図」です。次のような構文になっています。

the ticket man made 〈the guy〉
                              S
get out of the train in Mannheim
V

↓

〈the guy〉 **that** the ticket man made　●　get
out of the train in Mannheim

　make のあとに〈S（主語）＋ V（動詞）〉の役割をする語が置
かれると、「S に V することを強いる」という意味になり
ます。よって上のまとまりは「車掌に（マンハイムで）無理
やり降ろされた男」という意味になるのです。

★全文訳

　あるとき一人の男がパリからフランクフルト行きの列車
に乗った。

　列車に乗り込むと、男は車掌にこう言った。「すみませ
ん、お願いがあるのですが。私はマンハイムで降りなけれ
ばいけないのですが、とにかく疲れていてすぐに寝落ちし
てしまいそうなんです。

　そこで、マンハイムに着いたら起こしていただきたいの
です。というのもマンハイムで大事な商用があるものです
から。お礼にこの 50 ユーロを受け取ってください。

　ただ、一つ注意していただきたいのは、私、人に起こさ
れると時々暴れるクセがありまして。でも、私が何を言お
うが、何をしようが、とにかくマンハイムに着いたら電車
から引きずり降ろしてください。そこのところをどうぞよ
ろしく」

　車掌はうなずいて 50 ユーロを受け取った。

男は自分で言ったように、そのあと眠りに落ちてしまった。

　目が覚めると、もうフランクフルトだった。

　男は激怒し、車掌のところへ詰め寄りこう叫んだ。「あんたは何をしてくれたんだ。50 ユーロ払って起こしてくれるように頼んだだろ。なぜ起こさなかったんだ！　金を返してくれ！」

　男が車掌に叫んでいるのを隣の席の 2 人組の乗客が見ていた。そのうちの 1 人がもう片方に言った。「おい、あの男を見ろよ」

　もう一人の男が答えた。「ああ、やつもキレてるなあ。車掌がマンハイムで引きずり降ろした男も相当キレてたけどな」

★今日のトピック

　電車の中で乗客が居眠りするのは日本では珍しくありませんが、海外では長距離列車を除けばあまり見かけないと言われます。それだけ日本の通勤電車は安全だということです。

　「居眠りする」という表現は fall asleep 以外にも、doze off（うとうとする）や nod off（こっくりこっくりする）という言い方があります。口語では "catch some Zs"（zzz … はいびきの音を表す）や、"take forty winks"（40 回のウインク）と言えば「仮眠をとる」「転た寝をする」といった意味です。オーストラリアには、その名も Forty Winks という寝具の専門店があります。なかなかのネーミングセンスですね。

右田邦雄

東京学芸大学卒(在学中にオーストラリア・キャンベラ高等教育大学へ文部省派遣留学). 都立高校, 国立大学附属中学・高等学校の教員を経て, 授業カリキュラム作成や教員研修等に携わる. 2009～2021 年まで宝仙理数インターにてさまざまな授業実践に取り組む. 現在, 明星学苑中学校・高等学校に在職.

ひらめき! 英語迷言教室
——ジョークのオチを考えよう　　岩波ジュニア新書 952

2022 年 5 月 20 日　第 1 刷発行

著　者	右田邦雄	みぎたくにお
発行者	坂本政謙	
発行所	株式会社 岩波書店	

〒101-8002 東京都千代田区一ツ橋 2-5-5

案内 03-5210-4000　営業部 03-5210-4111
ジュニア新書編集部 03-5210-4065
https://www.iwanami.co.jp/

印刷・精興社　製本・中永製本

岩波ジュニア新書の発足に際して

　きみたち若い世代は人生の出発点に立っています。きみたちの未来は大きな可能性に満ち、陽春の日のようにひかり輝いています。勉学に体力づくりに、明るくはつらつとした日々を送っていることでしょう。

　しかしながら、現代の社会は、また、さまざまな矛盾をはらんでいます。営々として築かれた人類の歴史のなかで、幾千億の先達たちの英知と努力によって、未知が究明され、人類の進歩がもたらされ、大きく文化として蓄積されてきました。にもかかわらず現代は、核戦争による人類絶滅の危機、貧富の差をはじめとするさまざまな人間的不平等、社会と科学の発展が一方においてもたらした環境の破壊、エネルギーや食糧問題の不安等々、来るべき二十一世紀を前にして、解決を迫られているたくさんの大きな課題がひしめいています。現実の世界はきわめて厳しく、人類の平和と発展のためには、きみたちの新しい英知と真摯な努力が切実に必要とされています。

　きみたちの前途には、こうした人類の明日の運命が託されています。ですから、たとえば現在の学校で生じているさまざまな「学力」の差、あるいは家庭環境などによる条件の違いにとらわれて、自分の将来を見限ったりはしないでほしいと思います。個々人の能力とか才能は、いつどこで開花するか計り知れないものがありますし、努力と鍛練の積み重ねの上にこそ切り開かれるものですから、簡単に可能性を放棄したり、容易に「現実」と妥協したりすることのないようにと願っています。

　わたしたちは、これから人生を歩むきみたちが、生きることのほんとうの意味を問い、大きく明日をひらくことを心から期待して、ここに新たに岩波ジュニア新書を創刊します。現実に立ち向かうために必要とする知性、豊かな感性と想像力を、きみたちが自らのなかに育てるのに役立ててもらえるよう、すぐれた執筆者による適切な話題を、豊富な写真や挿絵とともに書き下ろしで提供します。若い世代の良き話し相手として、このシリーズを注目してください。わたしたちもまた、きみたちの明日に刮目しています。（一九七九年六月）

943
数理の窓から世界を読みとく
—— 素数・AI・生物・宇宙をつなぐ

初田哲男
柴藤亮介 編著

数学を使いさまざまな事象を理論的に解明する方法、数理。若手研究者たちが数理を共通言語に、瑞々しい感性で研究を語る。

944
自分を変えたい —— 殻を破るためのヒント

宮武久佳

いつも同じメンバーと同じ話題。親に勧められた大学に進学し、楽勝科目で単位を稼ぐ。ずっとこのままでいいのかなあ?

945
ヨーロッパ史入門
原形から近代への胎動

池上俊一

古代ギリシャ・ローマから、文化的統合体としてのヨーロッパの成立、ルネサンスや宗教改革を経て、一七世紀末までを俯瞰。

946
ヨーロッパ史入門
市民革命から現代へ

池上俊一

近代国家の成立や新しい思想の誕生、二度の大戦、アメリカや中国の台頭。「古い大陸」ヨーロッパがたどった近現代を考察。

947
〈読む〉という冒険
イギリス児童文学の森へ

佐藤和哉

アリス、プーさん、ナルニア……名作たちは、本当は何を語っている?「冒険」する読みかた、体験してみませんか。

948
私たちのサステイナビリティ
—— まもり、つくり、次世代につなげる

工藤尚悟

「サステイナビリティ」とは何かを、気鋭の研究者が、若い世代に向けて、具体例を交えわかりやすく解説する。

942

親を頼らないで生きるヒント
——家族のことで悩んでいるあなたへ

コイケ ジュンコ
NPO法人ブリッジ
フォースマイル協力

虐待やヤングケアラー…、子どもはどのように SOS を出せばよいのか。社会的養護のもとで育った当事者たちの声を紹介。

941

AIの時代を生きる
——未来をデザインする創造力と共感力

美馬のゆり

人とAIの未来はどうあるべきか。「創造力と共感力」をキーワードに、よりよい未来のつくり方を語ります。

940

俳句のきた道 芭蕉・蕪村・一茶

藤田真一

古典を知れば、俳句がますますおもしろくなる! 個性ゆたかな三俳人の、名句と人生、俳句の心をたっぷり味わえる一冊。

938

国語をめぐる冒険

渡部泰明・平野多恵・出口智之・田中洋美・仲島ひとみ

世界へ一歩踏み出せば、新しい出会いと成長への機会が待っています。国語を使ってどう生きるか、冒険をモチーフに語ります。

937

食べものから学ぶ世界史
——人も自然も壊さない経済とは?

平賀 緑

食べものから「資本主義」を解き明かす! 産業革命、戦争…。食べものを「商品」に変えた経済の歴史を紹介。

936

ゲッチョ先生と行く 沖縄自然探検

盛口 満

沖縄島、与那国島、石垣島、西表島、宮古島を中心に、様々な生き物や島の文化を、著名な博物学者がご案内! 〔図版多数〕